中华人民共和国建设部

职业技能岗位标准
职业技能岗位鉴定规范
职业技能岗位鉴定试题库

配 煤 工

中国建筑工业出版社

中华人民共和国建设部

职业技能岗位标准

职业技能岗位鉴定规范

职业技能岗位鉴定试题库

配煤工

*

中国建筑工业出版社出版、发行（北京西郊百万庄）

各地新华书店、建筑书店经销

北京建筑工业印刷厂印刷

*

开本：787×1092毫米　1/32　印张：4½　字数：101千字

2003年3月第一版　　2012年10月第二次印刷

定价：**9.00**元

统一书号：15112·10517

本社网址：http://www.cabp.com.cn

网上书店：http://www.china-building.com.cn

前　言

为了促进建设事业的发展，加强建设部系统各行业的劳动管理，广泛开展职业技能岗位培训和鉴定工作，提高职工队伍素质，我们根据建设部印发的《职业技能岗位标准》、《职业技能岗位鉴定规范》、《职业技能岗位鉴定试题库》及各地工人学习、培训、鉴定工作的实际需要，组织编辑了《职业技能岗位标准、鉴定规范、鉴定试题库》系列丛书，按每个职业岗位印刷成单行册。

各地区在使用过程中，严禁翻印。发现不妥之处，请提出宝贵意见。

建设部职业技能岗位鉴定指导委员会

2001 年

目　录

关于颁发燃气行业燃气管道工等 27 个“职业技能岗位标准、鉴定规范和试题库”的通知

建人教［2002］90 号

各省、自治区建设厅，直辖市建委，计划单列市建委，新疆生产建设兵团建设局：

为进一步提高燃气行业职工队伍素质，满足燃气行业职工开展职业技能岗位培训与鉴定工作需要，根据燃气行业的发展状况，我部组织有关专家对原燃气管道工等 27 个工种的《工人技术等级标准》进行了修订，并更名为《职业技能岗位标准》，根据修订后的《职业技能岗位标准》，重新编制了《职业技能岗位鉴定规范》和《职业技能鉴定试题库》。现将《职业技能岗位标准》、《职业技能岗位鉴定规范》和《职业技能鉴定试题库》（工种目录见附件）予以颁发，自颁发之日起试行。试行中有何问题和建议，请及时函告建设部人事教育司。

建设部 1989 年颁发的城市煤气、热力工人技术等级标准（CJJ24—89）自《职业技能岗位标准》颁发之日起停止执行。

附件：工种目录

中华人民共和国建设部

2002 年 4 月 5 日

附件：

工 种 目 录

1. 燃气用具安装检修工；
2. 液化石油气机械修理工；
3. 燃气输送工；
4. 燃气压力容器焊工；
5. 炼焦煤气炉工；
6. 燃气用具修理工；
7. 燃气管道工；
8. 燃气化验工；
9. 燃气净化工；
10. 污水处理工；
11. 配煤工；
12. 液化石油气罐区运行工；
13. 机械煤气发生炉工；
14. 焦炉维护工；
15. 热力司炉工；
16. 燃气调压工；
17. 热力运行工；
18. 重油制气工；
19. 液化石油气钢瓶检修工；
20. 液化石油气灌瓶工；
21. 供气营销员：
22. 煤焦车司机；
23. 焦炉调温工；
24. 胶带机输送工；
25. 燃气表装修工；
26. 冷凝鼓风工；
27. 水煤气炉工。

第一部分
配煤工职业技能岗位标准

1. 专业名称：燃气工程。

2. 岗位名称：配煤工。

3. 岗位定义：按规定的比例，将不同品质的煤种加工混合，配成焦炉制气的原料。

4. 适用范围：焦炉配煤。

5. 技能等级：设初、中、高三级。

6. 学徒期：两年。其中培训期一年，见习期一年。

一、初级配煤工

知识要求（应知）

1. 配煤系统的生产工艺流程。

2. 本岗位的技术操作规程、安全技术规程、设备维护保养规程及有关各项规章制度；所在岗位的岗位责任制。

3. 配煤系统各主要设备的名称、作用；所在岗位的设备的规格、性能、简单构造和工作原理。

4. 各种联系信号及安全装置的部位和作用。

5. 设备的润滑知识；自用设备的润滑要求。

6. 炼焦用煤的一般知识；焦炉装炉煤的质量要求。

7. 常见一般故障的原因、处理方法和防止措施。

8. 机械识图的一般知识。

9. 钳工一般知识。

10. 安全用电知识。

操作要求（应会）

1. 熟练地进行1～2岗位的生产操作；准确、完整地填写本岗位的生产操作记录。

2. 根据当班配煤比的要求，合理调整本岗位操作。

3. 准确使用工作联系信号和安全装置。

4. 自用设备的维护保养，对自用设备进行一般调整。

5. 处理一般故障。

6. 看懂配煤系统的工艺流程图。

7. 做到岗位责任制和文明生产的各项要求。

二、中级配煤工

知识要求（应知）

1. 本岗位主要设备的性能、构造、工作原理和维修保养方法。

2. 备煤车间的生产工艺流程。

3. 炼焦用煤的类别、其外观特征和结焦特性。

4. 本岗位各项操作对配煤质量的影响；煤种变动情况下，配煤比的计算方法；自动配煤的原理。

5. 配煤质量对制气、焦炭和化学产品生产的影响。

6. 本岗位主要设备常见各种故障的原因、处理方法。

7. 配煤系统技术经济指标及其制订的依据。

8. 常用材料的一般知识；机械传动的一般知识；易损易耗部件的型号和规格；设备修理的质量要求；设备的检修周期和内容以及验收、试车的方法。

9. 机械制图的基本知识。

10. 班组生产技术管理知识。

11. 煤种变动情况下，配煤比例的调整方法。

操作要求（应会）

1. 根据煤的外观特征鉴别煤种。

2. 熟练进行本岗位各项生产技术操作；正确判断和及时处理生产中各种异常现象，排除事故隐患。

3. 目测配合煤的含水量。

4. 目测焦炭外观质量，分析它与配煤的关系。

5. 进行技术经济指标和质量问题的分析。

6. 各种常见事故的处理、分析、并能提出预防措施。

7. 保养设备；对设备进行各种调整；更换易损易耗零件。

8. 提出本系统设备大、中、小修内容；组织本系统范围的停车检修和验收开工。

9. 看懂设备的装配图，绘制零件草图。

三、高级配煤工

知识要求（应知）

1. 干燥、粉碎、筛分过程的理论知识。

2. 炼焦用煤化验分析的项目及其方法。

3. 配煤系统工艺设计和计算的一般知识。

4. 主要工艺流程及设备技术改造和安装的施工知识。

5. 国内同行业技术装置和生产中新技术、新工艺、新设备的动态。

6. 除尘、防尘、环境保护的知识。

操作要求（应会）

1. 解决配煤过程中的各种技术问题，对生产关键提出改进意见。

2. 根据煤种的变化和化验分析结果指导配煤试验和改进配煤工作。

3. 编制和修订配煤生产的安全技术规程和工艺操作规程。

4. 结合本系统生产中存在的问题，提出设备或工艺流程等的技术改造初步方案。

5. 指导新建配煤系统设备的安装和质量验收，组织试车投产。

6. 绘制简单的工艺设计图和设备图。

第二部分
配煤工职业技能岗位鉴定规范

第一章 说 明

一、鉴定要求

1. 鉴定试题符合本职业技能鉴定规范的内容。

2. 职业技能岗位鉴定分为理论考试和实际操作考核两部分。

3. 理论部分试题分为：是非题、选择题、计算题和简答题。

4. 考试时间：原则上理论考试时间为1.5h，实际操作考核为1～2h。

5. 鉴定标准：理论考试和实际操作考核均实行百分制，成绩均达到60分者为技能鉴定合格。技能鉴定与道德鉴定、业绩鉴定均合格视为岗位鉴定合格。

二、申报条件

1. 申请参加初级工技能岗位鉴定的人员必须具有初中以上文化程度，从事本岗位工作2年以上，或经正规培训机构培训的本专业（工种）的毕业生或结业生（培训期一年以上）。

2. 申请参加中级工技能岗位鉴定的人员必须具有初级证书，且在初级岗位上工作 3 年以上；或经评估合格的中等专业学校、技工学校、职业学校的本专业（工种）毕业生，且持有初级证书者。

3. 申请参加高级工技能岗位鉴定的人员必须具有中级证书，且在中级岗位上工作 5 年以上；或经评估合格的中等专业学校、技工学校、职业学校的本专业（工种）毕业生，持有中级证书，且在中级岗位上工作 3 年以上者。

三、考评员构成及要求

1. 考评初、中级技工的考评员，需由具有高级工以上证书的技工或中级以上专业技术职称的技术人员组成。

考评高级技工的考评员，需由具有技师以上证书的技工或中级以上专业技术职称的技术人员组成。

2. 考评员需熟练掌握本职业技能岗位鉴定规范的内容。

3. 理论部分考评员原则上按每 20 名考生配备一名考评员，即 20:1。操作部分考评员原则上按每 5 名考生配备一名考评员，即 5:1。

第二章　岗位鉴定规范

第一节　道德鉴定规范

一、本标准适用于从事本行业的所有初级工、中级工、高级工的道德鉴定。

二、道德鉴定在企事业单位广泛开展道德教育的基础上，采取笔试或用人单位按实际表现鉴定的形式进行。

三、道德鉴定的内容主要包括，遵守宪法、法律、法规、国家的各项政策和各项技术安全操作规程及本单位的规章制度，树立良好的职业道德和敬业精神以及刻苦钻研技术的精神。

四、道德鉴定由用人单位负责，职业技能岗位鉴定站审核。考核结果分为优、良、合格、不合格。对笔试考核的，60 分以下的为不合格，60～79 分为合格，80～89 分为良，90 分以上为优。

第二节　业绩鉴定规范

一、本标准适用于从事本行业的所有初级工、中级工、高级工的业绩鉴定。

二、业绩鉴定在加强企事业单位日常管理和工作考核的基础上，针对所完成的工作任务，采取定量为主、定性为辅的形式进行。

三、业绩鉴定的内容主要包括，完成生产任务的数量和质量，解决生产工作中技术业务问题的成果，传授技术、经验的成绩以及安全生产的情况。

四、业绩鉴定由用人单位负责，职业技能岗位鉴定站审核，考核结果分为优、良、合格、不合格。对定量考核的，60分以下的为不合格，60～79分为合格，80～89分为良，90分以上为优。

第三节　技能鉴定规范

一、初级工

（一）技能鉴定规范的内容

项目	鉴定范围	鉴定内容	鉴定比重	备注
知识要求			**100%**	
基本知识 25%	1. 燃气常识 10%	（1）城市燃气的分类与性质 （2）城市燃气的质量要求 （3）各种燃气的基本性质	3% 4% 3%	
	2. 识图与制图 5%	（1）零件图识图 （2）投影原理 （3）生产工艺流程图的画法	5%	
	3. 电工常识 5%	（1）电源的种类 （2）电气防爆及防火 （3）安全用电知识	5%	
	4. 管工、钳工常识 5%	（1）常用的工具、量具知识 （2）常用的管材、管件	5%	

续表

项目	鉴定范围	鉴定内容	鉴定比重	备注
专业知识 75%	1. 备煤生产工艺流程　8%	(1) 备煤生产过程一般知识 (2) 备煤生产工艺流程	3% 5%	
	2. 炼焦用煤的一般知识　9%	(1) 炼焦用煤的煤种 (2) 炼焦用煤的一般性质 (3) 焦炉装炉煤质量要求	3% 3% 3%	
	3. 配煤质量 12%	(1) 配煤比的概念 (2) 配煤的一般质量要求 (3) 调整配煤比的方法	3% 4% 5%	
	4. 本岗位的技术规程、安全技术规程、设备维护保养规程及有关各项规章制度；本岗位的岗位责任制　5%		5%	
	5. 备煤主要设备　11%	(1) 粉碎机的型号 (2) 筛分设备的种类和型号 (3) 配煤设备的种类和型号	3% 3% 5%	
	6. 备煤生产设备维护和保养 14%	(1) 粉碎设备、筛分设备、配煤设备的维护和保养 (2) 输送设备的构造及维护与保养	5% 9%	
	7. 备煤生产一般故障的原因和处理方法　16%	(1) 备煤生产一般故障产生原因 (2) 备煤生产一般故障的预防 (3) 备煤生产一般故障的处理方法 (4) 备煤生产突发异常故障的处理方法	4% 4% 4% 4%	

续表

项目	鉴定范围	鉴定内容	鉴定比重	备注
操作要求			**100%**	
		（1）熟练地进行1~2个岗位的操作 （2）准确完整地填写本岗位的生产操作记录 （3）根据当班配煤比的要求，合理调整本岗位操作 （4）准确使用工作联系信号和安全装置 （5）自用设备的维护保养，对自用设备进行一般调整 （6）处理一般故障 （7）看懂配煤系统的工艺流程图	20% 12% 12% 12% 12% 12% 20%	

（二）技能鉴定试题范例

理论部分（共100分）

1. 是非题（正确的打“√”，错误的打“×”答案写在括号内，每题1分，共25分）

（1）人工煤气是指干馏煤气。（ ）

（2）天然气就是液化石油气。（ ）

（3）焦炉煤气主要成分是甲烷和氢气。（ ）

（4）城市燃气中加臭是便于察觉气味防止煤气泄漏。（ ）

（5）燃气是由多种气体组成的混合气。（ ）

（6）焦炉煤气的生产过程是气化过程。（ ）

（7）不同种类的燃气，其爆炸浓度极限是相同的。（ ）

（8）煤气的热值有高、低热值之分。（ ）

（9）燃气的种类习惯上分为三大类。（ ）

（10）液化石油气的热值最高。 （ ）

（11）公称尺寸相同的零件装配在一起叫配合。 （ ）

（12）电流经过的路径称为电路。 （ ）

（13）电压是有方向的，电压的方向规定由低电位指向高电位。 （ ）

（14）电源分为两类。 （ ）

（15）电动机主要由定子和转子组成。 （ ）

（16）炼焦用煤包括洗精煤和原煤。 （ ）

（17）焦煤的结焦性最好，可以单独炼焦。 （ ）

（18）煤的发热量是指每单位重量的煤完全燃烧所产生的热量。 （ ）

（19）煤的挥发份高低与煤的水分有关。 （ ）

（20）煤中的矿物质在高温下的结渣性能叫结焦性。 （ ）

（21）弱粘煤属于炼焦用煤。 （ ）

（22）煤中的主要成分是碳，炼焦煤中碳的含量占 50%以上。 （ ）

（23）煤中的硫是有害成分，它可以加速煤的风化和引起自燃。 （ ）

（24）肥煤的粘结性好，所以它的结焦性一定好。 （ ）

（25）炼焦用煤包括作为燃料的动力煤。 （ ）

2. 选择题（将正确的答案序号填每题的横线上，每题 1 分，共 25 分）

（1）焦炉煤气属于____。

A. 天然气　　　　B. 油制气

C. 矿井气　　　　D. 人工煤气

（2）炼焦制气过程是____。

A. 干馏过程　　　　B. 汽化过程

C. 催化裂解过程　　D. 氧化过程

(3) 煤气是多种气体的混合气体，它具有____的特点。

A. 易氧化　　　　B. 易着火

C. 易燃、易爆、易中毒　　D. 易挥发

(4) 干馏煤气的热值比天然气的热值要____。

A. 高　　B. 低　　C. 相同　　D. 差不多

(5) 城市燃气中加臭的作用是____。

A. 增加气量　　　　B. 防止泄漏，便于检测

C. 防止爆炸　　　　D. 增加热值

(6) 单种煤中其粘结性最好的煤是____。

A. 气煤　　B. 肥煤　　C. 焦煤　　D. 瘦煤

(7) 单种煤中其结焦性最好的煤是____。

A. 气煤　　B. 肥煤　　C. 焦煤　　D. 瘦煤

(8) 单种煤中最适合单种煤炼焦的煤是____。

A. 瘦煤　　　　B. 水煤

C. 1/3 焦煤　　D. 焦煤

(9) 煤中主要元素是指____。

A. 氧　　B. 氢　　C. 硫　　D. 碳

(10) 煤中的有机物主要是由____组成的。

A. 碳和氧　　　　B. 碳和硫

C. 碳、氢、氧　　D. 碳、氮、硫

(11) 人工煤气包括____。

A. 干馏煤气、气化煤气、油制气

B. 天然气、液化石油气、矿井气

C. 焦炉煤气、天然气、沼气

D. 气化煤气、天然气、液化石油气

（12）炼焦常用的煤是指____四种。

A. 气煤、弱粘煤、1/2 中粘煤、焦煤

B. 肥煤、无烟煤、1/3 焦煤、焦煤

C. 气煤、肥煤、焦煤、瘦煤

D. 瘦煤、贫煤、1/3 焦煤、动力煤

（13）炼焦用煤的灰分应控制在____。

A. >10%　　B. <10%

C. ≥11.5%　　D. ≤11.5%

（14）炼焦用煤的水分应控制在____。

A. <7%　　B. >10%　　C. >15%　　D. ≤10%

（15）碳是煤中有机物的主要成分，其含量随变质程度加深而____。

A. 减少　　B. 增加　　C. 没有关系

（16）煤的干馏分三种，高温干馏的温度范围是____。

A. 900~1050℃　　B. 1100~1300℃

C. 600~800℃　　D. 500~550℃

（17）焦炉煤气的主要成分是____。

A. 一氧化碳、二氧化碳　　B. 甲烷、氢气

C. 氧气、氢气　　D. 甲烷、二氧化碳

（18）煤的元素分析是指____。

A. 碳、磷、氧、钾、钠的测定

B. 碳、氢、氧的测定

C. 碳、氢、氧、氮、硫的测定

D. 水分、灰分、挥发分的测定

（19）煤的工业分析包括____。

A. 水分、灰分、挥发分、固定碳等含量的测定

B. 粘结指数、胶质层厚度的测定

C. 碳、氢、氧、氮、硫的测定

D. 细度、结焦性、粘结性的测定

(20) 煤的机械强度是指____。

A. 块煤的抗碎强度

B. 块煤的耐磨强度、抗压强度

C. 块煤的抗压强度

D. 块煤的抗碎强度、耐磨强度、抗压强度

(21) 城市燃气中热值最高的是____。

A. 焦炉煤气　　B. 液化石油气

C. 天然气　　D. 重油蓄热热解淬燃气

(22) 煤的挥发分高低与煤的____有关。

A. 变质程度　　B. 水分

C. 硫分　　D. 细度

(23) 焦炉装炉煤中灰分高，则粘结性____。

A. 增加　B. 减弱　C. 不变

(24) 炼焦过程中，提高煤的干馏温度，焦炭中的硫分____。

A. 增加　B. 不变　C. 减少

(25) 连续式直立炉是生产城市燃气为主的炉型，采用____为原料。

A. 焦煤　　B. 弱粘煤

C. 瘦煤或动力煤　　D. 肥煤或气煤

3. 计算题（每题 10 分，共 20 分）

(1) 炼焦日用煤量为 2000t，配煤皮带每小时输送湿煤量为 250t，试问皮带需要运转多少时间方可以运完？

(2) 配煤采取的气煤其配比是 30%，若焦炉日用配合煤 1500t，其气煤的消耗量为多少吨？

4. 简答题（每题10分，共30分）

（1）简述备煤车间的主要任务？

（2）先配煤后粉碎工艺流程的特点？

（3）配煤的作用有哪些？

实际操作部分（共100分）

题目：更换皮带输送机托辊的操作

考核项目及评分标准

序号	考核项目	评分标准	满分	检测点					得分
				1	2	3	4	5	
1	更换前准备工作	认真检查材料工具准备齐全	10						
2	操作步骤	步骤准确，不出现误操作	30						
3	文明生产	按要求进行记录填写，清理现场	20						
4	安全生产	安全保护装置的使用正确，进行空载试车，达到要求	20						
5	工　效	在规定时间内完成，超过时间扣分	20						

二、中级工

（一）技能鉴定规范的内容

项目	鉴定范围	鉴　定　内　容	鉴定比重	备注
知识要求			**100%**	
基本知识30%	1. 炼焦制气基本原理10%	（1）干馏过程的定义及分类 （2）炭化室内煤气产生过程 （3）干馏用煤特性	3% 3% 4%	

续表

项目	鉴定范围	鉴定内容	鉴定比重	备注
基本知识 30%	2. 机械制图基础 10%	（1）投影的基本知识 （2）常用零件的画法 （3）装配图	3% 3% 4%	
	3. 电工常识 4%	（1）安全用电知识 （2）常用电器控制线路	2% 2%	
	4. 机械基础 6%	（1）机械传动 （2）液压传动	3% 3%	
专业知识 70%	1. 备煤车间的工艺流程 10%	（1）确定备煤流程的依据 （2）备煤车间的布置	5% 5%	
	2. 干馏用煤特性 10%	（1）焦炉用煤的煤种 （2）干馏用煤的结焦性	5% 5%	
	3. 配煤质量 10%	（1）炼焦制气的配煤质量指标 （2）配煤质量对产气量的影响，对焦炭质量影响及对化学产品的影响	5% 5%	
	4. 配煤比的计算 20%	（1）确定配煤比的依据 （2）配煤比的计算方法 （3）煤种变动时的配煤比调整计算方法 （4）自动配煤的原理	5% 5% 5% 5%	
	5. 备煤系统技术经济指标 10%	（1）备煤生产技术经济指标及制定的依据 （2）技术经济指标异常的原因分析	5% 5%	
	6. 备煤生产常见事故产生的原因，预防及处理方法 10%		10%	
操作要求			**100%**	
		（1）根据煤的外观特征鉴别煤种 （2）熟练进行本岗位各项生产技术操作，正确判断和及时处理生产中各种异常现象，排除事故隐患	12% 12%	

续表

项目	鉴定范围	鉴 定 内 容	鉴定比重	备注
		（3）目测配煤的准确程度，干燥后煤的含水量，粉碎后煤的细度	10%	
		（4）目测焦炭外观质量，分析它与配煤的关系	10%	
		（5）进行技术经济指标和质量问题的分析	12%	
		（6）各种常见事故的处理、分析，并能提出预防措施	12%	
		（7）保养设备，对设备进行各种调整，更换易损易耗零件	10%	
		（8）提出本系统设备大、中、小修内容，组织本系统范围的停车检修和验收开工	10%	
		（9）看懂设备装配图，绘制零件草图	12%	

（二）中级工技能鉴定试题范例

理论部分（共100分）

1. 是非题（正确的打“√”，错误的打“×”，答案填在括号内，每题1分，共25分）

（1）焦炉煤气属于干馏煤气，是人工煤气的一种。（ ）

（2）天然气的主要成分是氢气和氮气。（ ）

（3）燃气热值是指单位数量燃气燃烧时放出的热量。（ ）

（4）燃气是由多种气体组成的混合气。（ ）

（5）燃气中毒事故中最常见的是一氧化碳中毒。（ ）

（6）燃气中加臭是为了增加煤气的热量。（ ）

（7）决定燃气互换性的是燃烧特性指标华白指数和燃烧势。（ ）

（8）焦炉煤气与发生炉煤气的生产原理相同，只是温度

不同。 ( )

(9) 任何比例的燃气——空气混合气都会发生爆炸。

( )

(10) 高温干馏是指煤在800～850℃的温度下进行的干馏。 ( )

(11) 电流经过的路径为电路，最简单的电路由电源、负载和连接导线组成。 ( )

(12) 电流方向随时间变化的称为直流电。 ( )

(13) 电流方向不随时间变化的称为交流电。 ( )

(14) 变压器是把一种等级的交流电压变成一种或几种不同等级的交流电压的静止电器。 ( )

(15) 电机主要由定子和转子组成。 ( )

(16) 煤是由有机物和无机物组成的，碳、氢、氧、氮、硫5种元素是有机物，其余是无机物。 ( )

(17) 配合煤炼焦采用的煤种有气煤、肥煤、焦煤、瘦煤等。 ( )

(18) 备煤车间的主要任务是炼焦制气。 ( )

(19) 确定备煤工艺流程的依据是煤的种类不同。 ( )

(20) 炼焦炉属于高温炼焦炉，主要生产冶金焦炭和煤气。 ( )

(21) 连续式直立炉主要用于生产煤气，要求入炉煤挥发分要高。 ( )

(22) 结焦性好的煤，粘结性较好，粘结性好的煤，结焦性也一定好。 ( )

(23) 气煤在炼焦配煤中可以增加收缩减少膨胀压力。

( )

(24) 工业分析中对煤的水分有应用水分和分析水分两

种。 ( )

(25) 配煤质量主要是控制煤的元素分析指标。 ( )

2. 选择题（把正确的答案序号填每题的横线上，每题1分，共25分）

(1) 城市燃气可分为____三大类。

A. 焦炉煤气、气化煤气、油制气

B. 天然气、矿井气、液化石油气

C. 干馏煤气、人工煤气、煤层气

D. 天然气、人工燃气、液化石油气

(2) 发生炉煤气和水煤气不宜单独作为城市燃气气源的原因是____。

A. 热值低 B. CO_2 含量高

C. CO含量高毒性大 D. 水蒸气多

(3) 燃气热值是指____所放出的热量。

A. 燃气燃烧时 B. 燃气完全燃烧时的

C. 单位数量燃气燃烧时 D. 单位数量燃气完全燃烧时

(4) 燃气是多种气体的混合气，它具有____的特点。

A. 易氧化 B. 易着火

C. 易燃、易爆、易中毒 D. 易挥发

(5) 干馏煤气热值与煤的挥发分之间的关系是____。

A. 随煤的挥发分增高而增加

B. 随煤的挥发分降低而增加

C. 随煤的挥发分降低而减少

D. 与煤的挥发分没有关系

(6) 城市燃气中要求加臭是为了____。

A. 防止泄漏、便于检测 B. 降低爆炸极限

C. 增加热值 D. 增加气量

(7) 焦炉煤气的生产过程是____过程。

A. 气化　　　　　　　B. 高温干馏

C. 催化裂解　　　　　D. 氧化

(8) 液化石油气的热值比天然气的热值要____。

A. 高　B. 低　C. 相同　D. 差不多

(9) 备煤车间平皮带传动中，两带轮回转方向相同，应采用____。

A. 开口传动　B. 半交叉传动　C. 交叉传动

(10) 电气设备发生火灾时，来不及断电时应采用____。

A. 泡沫灭火机灭火

B. 用水灭火

C. 用干粉灭火机灭火

(11) 我国规定城市燃气的低热值不应小于____。

A. 4396kJ/Nm^3　　　　B. 14654kJ/Nm^3

C. 5024kJ/Nm^3　　　　D. 16747kJ/Nm^3

(12) 我国采用的煤分类主要指标有____。

A. 可燃基挥发分、基氏流动度

B. 干基挥发分、胶质层厚度

C. 罗加指数、干基挥发分

D. 可燃基挥发、粘结指数

(13) 煤的相对密度是指____的质量与相同温度同体积水的质量之比。

A. 25℃的煤　　　　　B. 20℃的干煤

C. 25℃的干煤　　　　D. 20℃的煤

(14) 煤在一定的高温条件下，与二氧化碳、水蒸气或氧气相互作用的反应能力叫____。

A. 煤的粘结性　　　　B. 煤的反应性

C. 煤的结焦性　　　　　　D. 煤的热稳定性

(15) 煤的组成以有机物质为主体，煤中有机质主要由____等元素组成。

A. 碳和氧　　　　　　　B. 碳和硫

C. 碳、氢、氧、氮、硫　D. 碳和硫酸盐

(16) 煤中包括碳、氢、氧、氮、硫五大元素，而碳是最重要的元素，碳在煤中含量一般是____。

A. >50%　　　　　　　B. <50%

C. >80%　　　　　　　D. <40%

(17) 固定碳是残留在焦渣中的可燃部分，其计算方法是____。

A. 固定碳=100+灰分-(水分+挥发分)%

B. 固定碳=100-(灰分+水分+挥发分)%

C. 固定碳=100-(灰分+挥发分)%

D. 固定碳=100-(水分+挥发分)%

(18) 煤的工业分析项目主要包括____。

A. 细度、机械强度、水分的测定

B. 碳、氢、氧、氮、硫的测定

C. 粘结指数、胶质层厚度的测定

D. 水分、灰分、挥发分、固定碳等含量的测定

(19) 煤的元素分析是指____。

A. 水分、灰分、挥发分、固定碳的测定

B. 钾、钠元素的测定

C. 碳、氢、氧、氮、硫等元素的测定

D. 稀有元素的测定

(20) 煤的机械强度是指____。

A. 煤的抗碎强度

B. 煤的抗压强度

C. 煤的耐磨强度

D. 抗碎强度、耐磨强度、抗压强度

(21) 炼焦用煤根据其性质可分为____。

A. 气煤、焦煤、瘦煤、肥煤、1/3 焦煤

B. 烟煤、无烟煤、动力煤

C. 1/3 焦煤、长焰煤、无烟煤、1/2 中粘煤

D. 原煤、洗精煤、动力煤

(22) 煤的物理性质指的是____。

A. 水分、灰分、挥发分、硫分

B. 密度、热稳定性、灰熔点、机械强度

C. 水分、密度、热稳定性、硫分

D. 碳、氢、氧、氮、硫的含量

(23) 煤最基本的分析项目是____。

A. 煤的密度　　B. 煤的胶质层厚度

C. 元素分析和工业分析　　D. 煤的粘结性

(24) 冶金焦的质量是配煤质量决定的，配合煤质量指标中规定，配合煤的胶质层厚度应该____。

A. $<10\text{mm}$　　B. $>13\text{mm}$

C. $\geqslant 20\text{mm}$　　D. $\leqslant 15\text{mm}$

(25) 煤的工业分析中对煤的水分有____和分析水分两种。

A. 内在水分　　B. 结晶水

C. 应用水分　　D. 化合水

3. 计算题（每题 10 分，共 20 分）

(1) 在配煤操作过程中，已知其配煤比为气煤 30%，肥煤 30%，焦煤 30%，瘦煤 10%；各单种煤可燃基挥发分

为气煤35%，肥煤32.1%，焦煤22.4%，瘦煤16%，实际测得配合煤挥发分为28.2。问配煤质量指标是否达到要求？

（2）在配煤操作过程中，已知配煤比为气煤20%，肥煤35%，焦煤35%，瘦煤10%，各单种干基灰分为气煤8.1%，肥煤9.5%，焦煤10.5%，瘦煤7.98%，实际测得配合煤灰分为9%。试问配煤灰分质量指标是否达到要求？

4. 简答题（每题10分，共30分）

（1）确定配煤比的基本要求。

（2）煤是由哪些物质组成的。

（3）配煤的目的是什么？

实际操作部分（共100分）

题目：粉碎机异常声响的分析及处理

考核项目及评分标准

序号	考核项目	评分标准	满分	检测点					得分
				1	2	3	4	5	
1	检测并分析原因	按要求对粉碎进行检查，分析原因准确	20						
2	确定处理方案	方案正确，条理清楚	20						
3	处理操作	操作准确，有步骤	20						
4	文明生产	填写记录，清理现场	10						
5	安全生产	掌握安全规定，考核中大事故不合格，小事故扣分	20						
6	工　效	在考核规定时间内完成，超过时间扣分	20						

三、高级工

（一）技能鉴定规范的内容

项目	鉴定范围	鉴定内容	鉴定比重	备注
知识要求			**100%**	
基本知识40%		（1）流体力学基础知识 （2）热工学基础知识 （3）传热学基础知识 （4）金属工艺学 （5）机械基础知识	8% 8% 8% 8% 8%	
专业知识60%		（1）中国煤的分类 （2）单种煤在配合煤中的作用 （3）国内外炼焦配煤工艺的发展 （4）自动配煤装置的原理及程序控制电路 （5）电动机、电子皮带的各种技术参数及调节方法	12% 12% 12% 12% 12%	
操作要求			**100%**	
100%		（1）本岗位的开工投产及设备调试工作 （2）自动配煤系统的装配与调试 （3）根据技术经济分析来提高配煤质量 （4）处理和判断本岗位重大设备故障 （5）讲述本岗位的技术理论课和操作实践知识	20% 20% 20% 20% 20%	

（二）高级工技能鉴定试题范例

理论部分（共100分）

1. 是非题（正确的打“√”，错误的打“×”，答案填在括号内，每题1分，共25分）

（1）我国规定城市燃气的低热值应小于14654kJ/Nm^3。（ ）

（2）城市燃气加臭只适用于有毒燃气。（ ）

（3）煤的高温干馏过程通常是在焦炉中进行，因此也可

叫焦化。　( )

(4) 煤是由植物的残骸演变而成的。　( )

(5) 煤中的水分是以内在水分和外在水分两种状态存在。　( )

(6) 煤的水分越高会增加热加工过程中的热量消耗，恶化热加工过程。　( )

(7) 煤的水分越高，对气化过程有利。　( )

(8) 煤灰是各种金属与非金属的氧化物，以及硫酸盐的混合物。　( )

(9) 煤中的水、灰、挥发物与固定碳重量的总和应等于煤样的重量。　( )

(10) 随着煤的变质程度加深，煤的挥发物组成中的氢气和碳氢化合物含量减少。　( )

(11) 煤是由无机物和有机物两部分组成，有机物是煤的主要组成部分。　( )

(12) 煤干馏所得的焦炭中的硫化物不会降低焦炭质量。　( )

(13) 煤的挥发分、碳含量在一定程度上能反映煤的变质程度。　( )

(14) 提高煤料的堆密度可以提高煤的粘结性。　( )

(15) 结焦过程是煤的有机质大分子进行热分解和热缩聚过程。　( )

(16) 在高温干馏时，如果煤中氧含量愈高，煤气中的水蒸气、二氧化碳和一氧化碳的含量增加，煤气热值增高。　( )

(17) 煤气是混合气体，混合气体爆炸极限取决于氧气的含量。　( )

（18）干馏煤气是以空气水蒸气作为气化剂经气化后所得的煤气。（ ）

（19）水煤气与干馏煤气掺混可作为城市煤气的调峰气源。（ ）

（20）焦炭产量占焦化产品的95%以上。（ ）

（21）燃气中毒事故就是指一氧化碳中毒。（ ）

（22）燃气在使用时是燃气中的可燃成分，不可燃成分与空气的氧气发生氧化还原反应过程。（ ）

（23）燃气燃烧后的产物叫烟气。（ ）

（24）焦炉的生产能力的大小取决于炭化室的尺寸、个数和结焦速度。（ ）

（25）在煤的干馏过程中，不同阶段的煤气的组成及生成量是相同的。（ ）

2. 选择题（把正确的答案序号填每题横线上，每题1分，共25分）

（1）城市燃气标准中规定人工燃气中硫化氢的含量应小于____。

A. $10mg/m^3$　　B. $20mg/m^3$

C. $30mg/m^3$　　D. $50mg/m^3$

（2）城市燃气标准中规定人工燃气中含一氧化碳量应小于____。

A. 10%　B. 20%　C. 30%　D. 50%

（3）决定燃气互换性的是燃气的燃烧特性指标，它们是____。

A. 华白指数和燃烧势　　B. 华白指数和热值

C. 燃气的高发热　　D. 燃烧势和热值

（4）发生炉煤气和水煤气不宜单独作为城市燃气的原因

是____。

A. 热值较低　　　　　B. 不具备互换性

C. CO 含量高、毒性大　D. 煤气中含水量高

(5) 当要求在两轴相距较远，工作环境恶劣的情况下传递较大功率宜选用____。

A. 带传动　　B. 链传动　　C. 齿轮传动

(6) 各煤车间平皮带传动中，两带轮回转方向相同时应采用____。

A. 开口传动　B. 半交叉传动　C. 交叉传动

(7) 我国城市燃气的低热值不应低于____。

A. 4396kJ/Nm^3　　B. 14654kJ/Nm^3

C. 5024kJ/Nm^3　　D. 16747kJ/Nm^3

(8) 直流电的大小方向____。

A. 不随时间变化

B. 随时间变化

C. 大小随时间变化，方向不变

D. 方向随时间变化，大小不变

(9) 变质程度比肥煤稍高，热稳定性好胶质体数量高，粘结性仅次于肥煤，结焦性好，挥发分适宜，这种煤是____。

A. 气煤　　　　　　B. 瘦煤

C. 1/2 中粘煤　　　D. 焦煤

(10) 现代焦炉结构中，煤进行高温干馏的场所是指____。

A. 炭化室　B. 燃烧室　C. 蓄热室

(11) 在焦炉炼焦制气过程中产生的荒煤气，其主要成分是____。

A. 一氧化碳和氮气　　B. 氢气和甲烷

C. 丁烷和丁烯　　D. 氮气和氧气

(12) 焦炉炼焦生产过程将焦饼由炭化室推出是由哪几台设备完成的____。

A. 推焦车、熄焦车、装煤车

B. 装煤车、推焦车、拦焦车

C. 推焦车、拦焦车、熄焦车

D. 熄焦车、拦焦车、装煤车

(13) 在煤的工业分析各项数据中，生产常用到基准煤的灰分采用的基准是____。

A. 分析基　　B. 绝对干燥基

C. 可燃基　　D. 应用基

(14) 煤气中的可燃成分是____。

A. H_2、CH_4、N_2、CO_2　　B. N_2、H_2O、O_2

C. H_2、CH_4、CO、O_2　　D. H_2、CH_4、C_nH_n、CO

(15) 煤的灰分包括内在灰分和外在灰分，而内在灰分是由____组成。

A. 原生矿物质　　B. 次生矿物质

C. 外来矿物质　　D. 原生矿物质和次生矿物质

(16) 煤的水分有外在水分和内在水分之分，但煤失去外在水分时，我们称此时的煤为____。

A. 湿煤　　B. 风干煤

C. 绝对干燥煤　　D. 干煤

(17) 下列四种变质程度最深的煤应该是____。

A. 气煤　B. 肥煤　C. 焦煤　D. 瘦煤

(18) 成煤过程是一个由低级到高级的发展过程，成煤过程是____。

A. 植物→褐煤→泥炭→烟煤→无烟煤

B. 植物→泥炭→烟煤→无烟煤→褐煤

C. 植物→泥炭→褐煤→烟煤→无烟煤

D. 植物→泥炭→无烟煤→烟煤→褐煤

(19) 煤的挥发分高低与煤的变质程度有关，它____。

A. 不是煤中固有物质是热分解的产物

B. 是煤中固有的物质

C. 是煤中物质之间发生化学反应生成的物质

D. 是气化过程的产物

(20) 碳是煤中最重要的元素，其含量的高低与变质程度有关，下列煤中碳含量最高的是____。

A. 泥炭　　B. 烟煤　　C. 无烟煤　　D. 褐煤

(21) 煤在一定条件下与二氧化碳、水蒸气或氧气的相互作用的反应能力被称为____。

A. 煤的热稳定性　　B. 煤的结焦性

C. 煤的粘结性　　D. 煤的反应性

(22) 固定碳是残留在焦炭中的可燃部分，其计算方法是____。

A. 固定碳 = 100 + 灰分 + 水分 − 挥发分%

B. 固定碳 = 100 + 灰分 −（水分 + 挥发分）%

C. 固定碳 = 100 −（灰分 + 水分 + 挥发分）%

D. 固定碳 = 100 −（水分 + 挥发分）%

(23) 烟煤热解过程中经历了六个阶段，半焦收缩阶段的温度是指____。

A. 350～450℃　　B. 450～550℃

C. 550～650℃　　D. 650～900℃

(24) 同一种煤的不同显微组分而言，挥发分产率最高的是____。

A. 稳定组　　　　B. 镜煤组

C. 丝炭组　　　　D. 半镜质组

(25) 同一种煤的不同显微组分而言，干馏产物焦炭产率最高的是____。

A. 稳定组　　　　B. 镜质组

C. 半镜质组　　　　D. 丝炭组

3. 计算题（每题 10 分，共 20 分）

(1) 已知煤的分析基挥发分为 18%，分析煤样内在水分为 2%，干煤灰分为 8%，试计算煤干基挥发分？可燃基挥发分？

(2) 已知配煤比为气煤 25%，肥煤 25%，焦煤 35%，瘦煤 15%，单种煤的可燃基挥发分为气煤为 34.3%，肥煤为 32.1%，焦煤 20.5%，瘦煤为 15.5%。试计算配合煤挥发分？

4. 简答题（每题 10 分，共 30 分）

(1) 什么是烟煤的粘结性和结焦性。

(2) 配煤的基本原则是什么？

(3) 影响焦炭质量的因素有哪些？

实际操作部分（共 100 分）

题目：根据煤塔贮量及当班焦炉日出炉计划安排配煤生产

考核项目及评分标准

序号	考核项目	评分标准	满分	检测点					得分
				1	2	3	4	5	
1	各煤塔储量	掌握各煤塔的储量	10						
2	当班出炉计划	掌握当班出炉计划	10						

续表

序号	考核项目	评分标准	满分	检测点					得分
				1	2	3	4	5	
3	确定当班工作计划	计划合理、可行	10						
4	组织配煤生产	指挥得当，准确无误	20						
5	文明生产	认真填写记录	10						
6	安全生产	掌握各项安全规定，大失误不合格，小失误扣分	20						
7	工　效	在规定时间内完成，超过时间扣分	20						

第三部分
配煤工职业技能岗位鉴定试题库

第一章　初级配煤工

理论部分

（一）是非题（正确的打“√”，错误的打“×”，答案写在括号内）

1. 人工煤气是指干馏煤气。（×）

2. 天然气就是液化石油气。（×）

3. 焦炉煤气主要成分是甲烷和氢气。（√）

4. 城市燃气中加臭是便于察觉气味防止煤气泄漏。（√）

5. 燃气是由多种气体组成的混合气。（√）

6. 焦炉煤气的生产过程是气化过程。（×）

7. 不同种类的燃气，其爆炸浓度极限是相同的。（×）

8. 煤气的热值有高、低热值之分。（√）

9. 燃气的种类习惯上分为三大类。（√）

10. 液化石油气的热值最高。（√）

11. 公称尺寸相同的零件装配在一起叫配合。（√）

12. 电流经过的路径称为电路。（√）

13. 电压是有方向的，电压的方向规定由低电位指向高电位。（×）

14. 电源分为两类。 (√)

15. 电动机主要由定子和转子组成。 (√)

16. 炼焦用煤包括洗精煤和原煤。 (×)

17. 焦煤的结焦性最好，可以单独炼焦。 (√)

18. 煤的发热量是指每单位重量的煤完全燃烧所产生的热量。 (√)

19. 煤的挥发分高低与煤的水分有关。 (×)

20. 煤中的矿物质在高温下的结渣性能叫结焦性。 (×)

21. 弱粘煤属于炼焦用煤。 (×)

22. 煤中的主要成分是碳，炼焦煤中碳的含量占50％以上。 (√)

23. 煤中的硫是有害成分，它可以加速煤的风化和引起自燃。 (√)

24. 肥煤的粘结性好，所以它的结焦性一定好。 (×)

25. 炼焦用煤包括作为燃料的动力煤。 (×)

26. 炼焦过程中装炉煤的硫分全部留在焦炭中。 (×)

27. 炼焦过程中装炉煤的灰分全部留在焦炭中。 (√)

28. 配煤就是将各类可以炼焦的煤种按照一定的重量比配合。 (√)

29. 配煤中气煤配入量增加有利于化产品收率的增加。 (√)

30. 配煤细度过高易恶化炼焦操作。 (√)

31. 冶金焦的质量主要是由配煤质量决定的 (√)

32. 装炉煤水分的高低影响焦炭的水分 (×)

33. 配合煤细度指标应保持在（＜3mm）＜70％。 (×)

34. 配煤比确定后，在备煤过程中可以任意变动。 (×)

35. 配煤槽的装满高度必须保持在2/3以上。 (√)

36. 实际配煤量与规定的配煤量之差应小于±5%。（×）

37. 配煤开车后做一次配煤量称量后，一般不需再进行抽测。（×）

38. 煤的堆密度与水分有关，水分越高其堆密度增加。（×）

39. 煤的工业分析是指煤中碳、氢、氧含量的测定。（×）

40. 配合煤的挥发分增高，其获得煤气就越多。（√）

41. 配合煤粒度过大，造成煤混合不均，导致焦炭结构不匀，焦炭强度下降。（√）

42. 配煤炼焦主要是为了增加煤气的产量。（×）

43. 配煤槽的总容量为焦炉生产 8~10h 的用量。（√）

44. 工业分析所测得的水分是煤的内在水分。（×）

45. 配合煤的水分应控制在10%以下。（√）

46. 配合煤的成分和性质决定了焦炭的灰分、硫分的含量。（√）

47. 煤料的粉碎工序主要包括将大块煤分裂成为小块，称破碎；将小块煤变成细粉，称粉碎。（√）

48. 电磁振荡给料机是用弹性元件作为振动源。（×）

49. 配煤开车后一次跑盘后不需再进行抽测。（×）

50. 某一配煤槽堵塞不下煤，关闭给料机，处理完毕开启给料机。（×）

51. 电磁振荡给料机宜用于粘性较大的潮湿煤料。（×）

52. 各种煤在配煤皮带上的配合量，根据配煤比及各单种煤水分值决定。（√）

53. 当某一配煤堵塞不能漏煤时，所有煤种应停止送

煤。（√）

54. 在配煤过程中，给料机有异常响声时应立即停车停止送煤。（√）

55. 配合煤细度与锤头距箅子的距离无关。（×）

56. 锤头与箅子磨损愈严重，细度就愈降低。（√）

57. 不同的煤在相同条件下粉碎其细度一样。（×）

58. 煤尘大的地方，电机应采取防爆型电机。（√）

59. 反击式粉碎机是利用冲击作用进行破碎、粉碎的。（√）

60. 锤式粉碎机的缺点是粉碎粒度不均匀。（√）

61. 粉碎机转子未停稳时，可连续启动。（×）

62. 煤塔应存煤在 2/3 以上，保证炼焦用煤。（√）

63. 配煤时，缺少一种煤可以临时变更或增加其他煤种。（×）

64. 配煤水分增加，会增大炼焦耗热量。（√）

65. 配煤时发生煤种断流，应及时补煤。（×）

66. 配合煤生产过程中一般每小时检查一次配煤量。（√）

67. 电机轴承或传动轴承温度不应大于 60℃。（√）

68. 当设备发生故障时，待处理后方可发出信号，进行操作。（√）

69. 皮带机有大块煤或其他物体应立即取出。（×）

70. 滚筒上有粘煤时，应立即用铁铲将其清理干净。（×）

71. 皮带机必须设有紧急停车装置。（√）

72. 粉碎机停车交班时，应将条筛，溜槽内残煤和杂物清理干净。（√）

73. 单位长度配煤皮带上煤的总重量称为配煤量。（√）

74. 皮带清扫装置的作用是清除粘附在带面上的煤料。（√）

75. 粉碎机不参加生产系统连锁。（√）

76. 带式输送机中的输送带既是牵引件又是承载件。（√）

77. 当皮带跑偏时，只准利用调整器调整。（×）

78. 滚动轴承润滑，每月加一次机械油。（×）

79. 电气设备发生火灾时，采用泡沫灭火器进行灭火。（×）

80. 皮带机输送物料的能力只与电机功率有关。（×）

81. 普通皮带输送机都带有止逆装置。（×）

82. 配煤槽可成单、双排布置。（√）

83. 固定炭是指焦炭中的 CO_2 的含量。（×）

84. 挥发份是指挥发物占煤的体积百分数。（×）

85. 配煤设备电流增大是由于负载过大或轴承咬死缺油造成的。（√）

86. 造成轴承温度升高是转速加快。（×）

87. 粉碎机振动增加是由于煤料过湿造成的。（×）

88. 贫煤不能结焦，在配煤中加入少量可作瘦化剂。（√）

89. 气煤在配煤炼焦中可减少收缩度，增加焦炭块度。（×）

90. 配合煤的内在指标是指水分、堆密度、粒度组成。（×）

91. 皮带运输机不得带负荷启动。（√）

92. 焦炉炭化室是接受煤料，对煤进行干馏的地方。（√）

93. 焦炉煤气是煤与氧气发生化学反应的产物。（×）

94. 配合煤的挥发分高有利于增加化产品收率。（√）

95. 炼焦制气过程是煤在隔绝空气条件下的高温干馏过程。（√）

96. 配合煤硫分应不大于1.0%～1.2%。（√）

97. 煤的发热量分为两种，生产中采用高发热量。（×）

98. 岗位连锁装置的作用是防止堵漏。（×）

99. 煤质分析是指煤的元素分析。（×）

100. 上岗操作应穿戴劳保用品，女工长发必须塞在工作帽内。（√）

101. 岗位检修时，可用皮带运送工具。（×）

102. 皮带运行时，遇紧急情况下可钻、跨皮带。（×）

103. 电气设备发热时，可用湿抹布进行冷却。（×）

104. 减速机及油泵的冬季和夏季用油要分别选用。（√）

105. 配煤上煤时，当煤种不明，可单独存放在煤槽中，再进行使用。（×）

106. 当有电磁除铁器的岗位，应先开启皮带，再启动除铁器。（×）

107. 机头、机尾余煤可用水清扫。（×）

108. 特殊情况下，非本岗人员可替代上岗操作。（×）

109. 开启粉碎机前，先开启除尘设备，空载正常后，方能通知上煤。（√）

110. 设备维修后，应进行空载试车，运行正常后，方可负载。（√）

（二）选择题（将正确的答案序号填在每题的横线上）。

1. 焦炉煤气属于__D__。

A. 天然气　　B. 油制气

C. 矿井气　　D. 人工煤气

2. 炼焦制气过程是__A__。

A. 干馏过程　　B. 汽化过程

C. 催化裂解过程　　D. 氧化过程

3. 煤气是多种气体的混合气体，它具有__C__的特点。

A. 易氧化　　B. 易着火

C. 易燃、易爆、易中毒　　D. 易挥发

4. 干馏煤气的热值比天然气的热值要__B__。

A. 高　　B. 低　　C. 相同　　D. 差不多

5. 城市燃气中加臭的作用是__B__。

A. 增加气量　　B. 防止泄漏，便于检测

C. 防止爆炸　　D. 增加热值

6. 单种煤中其粘结性最好的煤是__B__。

A. 气煤　　B. 肥煤　　C. 焦煤　　D. 瘦煤

7. 单种煤中其结焦性最好的煤是__C__。

A. 气煤　　B. 肥煤　　C. 焦煤　　D. 瘦煤

8. 单种煤中最适合单种煤炼焦的煤是__D__。

A. 瘦煤　　B. 水煤

C. 1/3 焦煤　　D. 焦煤

9. 煤中主要元素是指__D__。

A. 氧　　B. 氢　　C. 硫　　D. 碳

10. 煤中的有机物主要是由__C__组成的。

A. 碳和氧　　B. 碳和硫

C. 碳、氢、氧　　D. 碳、氮、硫

11. 人工煤气包括____A____。

A. 干馏煤气、气化煤气、油制气

B. 天然气、液化石油气、矿井气

C. 焦炉煤气、天然气、沼气

D. 气化煤气、天然气、液化石油气

12. 炼焦常用的煤是指____C____四种。

A. 气煤、弱粘煤、1/2 中粘煤、焦煤

B. 肥煤、无烟煤、1/3 焦煤、焦煤

C. 气煤、肥煤、焦煤、瘦煤

D. 瘦煤、贫煤、1/3 焦煤、动力煤

13. 炼焦用煤的灰分应控制在____B____。

A. >10%　　B. <10%

C. ≥11.5%　　D. ≤11.5%

14. 炼焦用煤的水分应控制在____D____。

A. <7%　B. >10%　C. >15%　D. ≤10%

15. 碳是煤中有机物的主要成分，其含量随变质程度加深而____B____。

A. 减少　B. 增加　C. 没有关系

16. 煤的干馏分三种，高温干馏的温度范围是____A____。

A. 900~1050℃　　B. 1100~1300℃

C. 600~800℃　　D. 500~550℃

17. 焦炉煤气的主要成分是____B____。

A. 一氧化碳、二氧化碳　　B. 甲烷、氢气

C. 氧气、氢气　　D. 甲烷、二氧化碳

18. 煤的元素分析是指____C____。

A. 碳、磷、氧、钾、钠的测定

B. 碳、氢、氧的测定

C. 碳、氢、氧、氮、硫的测定

D. 水分、灰分、挥发分的测定

19. 煤的工业分析包括___A___。

A. 水分、灰分、挥发分、固定碳等含量的测定

B. 粘结指数、胶质层厚度的测定

C. 碳、氢、氧、氮、硫的测定

D. 细度、结焦性、粘结性的测定

20. 煤的机械强度是指___D___。

A. 块煤的抗碎强度

B. 块煤的耐磨强度、抗压强度

C. 块煤的抗压强度

D. 块煤的抗碎强度、耐磨强度、抗压强度

21. 城市燃气中热值最高的是___B___。

A. 焦炉煤气 B. 液化石油气

C. 天然气 D. 重油蓄热热解淬燃气

22. 煤的挥发分高低与煤的___A___有关。

A. 变质程度 B. 水分

C. 硫分 D. 细度

23. 焦炉装炉煤中灰分高，则粘结性___B___。

A. 增加 B. 减弱 C. 不变

24. 炼焦过程中，提高煤的最干馏温度，焦炭中的硫分___C___。

A. 增加 B. 不变 C. 减少

25. 连续式直立炉是生产城市燃气为主的炉型，采用___D___为原料。

A. 焦煤 B. 弱粘煤

C. 瘦煤或动力煤 D. 肥煤或气煤

26. 配合煤的质量指标中，细度指标应控制在____A____。

A. ＜3mm 粒度占 75%～80%　　B. ＜3mm 粒度＜75%

C. ＜3mm 粒度＞95%　　D. ＜3mm 粒度≤70%

27. 将大块煤分裂成小块的过程叫____A____。

A. 破碎　B. 粉碎　C. 研磨　D. 切削

28. 将小块煤变成细粉的过程叫____B____。

A. 破碎　B. 粉碎　C. 切削　D. 挤压

29. 运转中的皮带输送机上发现杂物时应____D____。

A. 立即将杂物拣出　　B. 通知下一岗位

C. 报告班长　　D. 停车将杂物拾出

30. 皮带驱动装置主要由____A____组成。

A. 电机、减速机、传动滚筒及联轴器、制动器

B. 电机、减速机、改向滚筒、拉紧装置

C. 电机、减速机、拉紧装置、清扫器

D. 电机、减速机、滚筒、清扫器

31. 冶金焦质量主要由配煤质量决定，当配合煤灰分增加时，所得焦炭灰分____B____。

A. 减少　B. 增高　C. 没有变化

32. 装炉煤堆密度增大对焦炭的影响是____B____。

A. 增加焦炭产量，降低焦炭的机械强度

B. 增加焦炭产量，提高焦炭的机械强度

C. 减少焦炭产量，降低焦炭的机械强度

D. 减少焦炭产量，提高焦炭的机械强度

33. 备煤车间煤尘的允许浓度为____B____。

A. ＞$10mg/m^3$　　B. ≤$10mg/m^3$

C. ≥$15mg/m^3$　　D. ≤$20mg/m^3$

34. 评定配煤操作的好坏主要是____D____。

A. 对配煤前后的灰分进行检查
B. 对配煤前后的硫分进行检查
C. 对配煤前后的灰分和硫分进行检查
D. 对配煤前后的灰分和挥发分进行检查

35. 配煤盘的生产能力与__C__有关。
A. 皮带机的速度
B. 刮板的速度
C. 加减筒、圆盘直径、刮煤板圆盘转速
D. 煤料粒度

36. 带式输送机的基本布置方式有__D__种。
A. 3　B. 2　C. 5　D. 4

37. 实际配煤质量与理论质量有差异的主要原因是__A__。
A. 单种煤没有按照规定配比配入
B. 单种煤水分不同
C. 单种煤灰分不同
D. 单种煤粒度不同

38. 配合煤的灰分、硫分是配合煤的__C__。
A. 外在指标　B. 内在指标
C. 内在质量指标　D. 外在质量指标

39. 配合煤水分超过规定的10%时会__A__炼焦耗热量。
A. 增加　B. 减少　C. 不变

40. 皮带机过负荷时容易造成__C__。
A. 皮带跑偏　B. 增加振动
C. 电流过大，烧毁电机　D. 皮带松动

41. 煤中的硫是有害物质，在配煤中应控制在__B__。
A. >1.2%　B. <1%　C. <0.5%　D. >1%

42. 造成粉碎机振动增加的原因是__A__。

A. 转子不平衡　　　　B. 电流过大

C. 煤料粒度大　　　　D. 煤料水分大

43. 造成轴承温度过高的原因是（C)。

A. 负荷增加　　　　B. 负荷减少

C. 轴承润滑不足　　　　D. 轴承间隙过大

44. 电振给料机电流增大的原因__A__。

A. 负载过大或轴承咬死、缺油

B. 负载过小轴承间隙大

C. 给料机堵料

D. 振动器发热

45. 备煤车间的布置形式有__B__种。

A. 2　B. 3　C. 4　D. 5

46. 配煤过程，挥发分指标前后对照不应超过__C__。

A. ±2%　　　　B. ±1%

C. ±0.7%　　　　D. ±0.5%

47. 配煤过程中，灰分指标前后对照不应超过__D__。

A. ±1%　　　　B. ±5%

C. ±0.5%　　　　D. ±0.2%

48. 配煤开车后，跑盘检查应每隔__C__检测一次。

A. 10min　B. 0.5h　C. 1h　D. 2h

49. 单位长度配煤皮带上煤的总量叫__B__。

A. 配煤比　　　　B. 配煤量

C. 堆密度　　　　D. 重力密度

50. 电动机主要由__C__组成。

A. 线圈　　　　B. 轴、磁铁

C. 定子和转子　　　　D. 壳体积机芯

51. 皮带拉紧装置的作用___C___。

A. 防止皮带撕裂

B. 防止电机烧毁

C. 保证皮带具有一定张力，使皮带和滚筒间产生必要的摩擦力

D. 防止皮带磨损

52. 配煤设备主要有___A___。

A. 配煤槽、给料机、粉碎机

B. 移动小车、给料机

C. 斗嘴、电子称

D. 粉碎机、料位仪、可逆皮带

53. 用皮带输送机运煤时，其倾斜角不大于___A___。

A. 18°　　B. 20°　　C. 25°　　D. 30°

54. 煤的挥发分高说明它的___A___。

A. 变质程度低　　B. 水分低

C. 氮含量低　　D. 硫含量低

55. 电动机、电线冒烟、失火应___D___。

A. 用水灭火

B. 用泡沫灭火器灭火

C. 用手扑打

D. 切断电源用绝缘灭火器灭火

56. 皮带超载不动时应___C___。

A. 报告班长

B. 应立即停车，重新启动

C. 应立即停车扒去皮带上一半煤，然后再启动

57. 气煤的贮放期限为___D___天。

A. 60　　B. 40　　C. 20　　D. 30

58. 煤堆温度达到___D___，可能发生自燃。

A. 70℃　　B. 60℃　　C. 90℃　　D. 100℃

59. 配合煤的胶质层厚度应大于___B___。

A. 10%　　B. 13%　　C. 15%　　D. 20%

60. 在使用锤式粉碎机时，造成粉碎细度不足主要是由于___C___。

A. 锤头数量过少　　B. 筛条间隙大小不均

C. 锤头磨损或条筛损坏　　D. 煤料粒度不均

61. 在配煤过程中发生一种煤断煤情况应___A___。

A. 立即停车　　B. 立即通知上煤

C. 立即用别的煤代替　　D. 加大各单种煤配量

62. 电机内有急剧摩擦声，采取___D___的措施。

A. 通知电工　　B. 减小负荷

C. 用力击打电机　　D. 立即停车

63. 皮带运输机空载正常，加上负荷就跑偏，其原因是___A___。

A. 落料点不正　　B. 滚筒粘料

C. 皮带张力大　　D. 皮带张力小

64. 皮带运输机空载跑偏，加载负荷后运行正常，其原因是___B___。

A. 落料点不正　　B. 皮带张力大

C. 滚筒粘煤　　D. 滚筒磨损

65. 炼焦过程中，煤的水分增加1%，炼焦时间延长___A___。

A. 5～10min　　B. 10～15min

C. 15～20min　　D. 20～30min

66. 生产冶金焦时，装炉煤的挥发分不应超过___D___。

A. 23%　B. 25%　C. 30%　D. 34%

67. 岗位连锁装置的作用是___A___。

A. 保护电机　B. 防止堵漏　C. 起动皮带

68. 电源分为直流电源和交流电源，交流电的大小和方向___B___。

A. 不随时间变化

B. 随时间不断变化

C. 与时间无关

69. 工厂内的照明电路与动力电路___A___。

A. 分开　B. 不分开　C. 即可以分又可不分

70. 煤质分析最基本的项目是___B___。

A. 粘结指数　B. 元素分析和工业分析

C. 胶质层厚度　D. 细度

71. 煤中的氢含量随煤的变质程度的加深___B___。

A. 增加　B. 减少　C. 没有关系

72. 煤中的氮随煤的变质程度的加深___C___。

A. 增加　B. 减少　C. 无关

73. 灰分是指煤在___D___左右完全燃烧后所剩煤灰占煤的重量百分率。

A. 500℃　B. 550～650℃

C. 700℃　D. 800℃

74. 先粉后配的工艺流程，选择性粉碎是指___C___。

A. 各单种煤粉碎细度相同

B. 个别煤种单独粉碎

C. 各单种煤根据煤的性质分别控制

75. 煤的发热量是指单位重量的煤___C___所产生的热量。

A. 完全气化　B. 干馏后

C. 完全燃烧　　　　　　D. 部分燃烧

76. 配煤炼焦的作用是充分利用__B__。

A. 煤的燃烧特性　　　　B. 不同煤种的特性

C. 原煤　　　　　　　　D. 煤的气化特征

77. 破碎和粉碎的机械设备主要有__A__种。

A. 4　B. 3　C. 2　D. 5

78. 电磁振荡给料机是利用__D__作振动源。

A. 弹簧　　　　　　　　B. 电动机和弹簧

C. 电动机　　　　　　　D. 电磁铁与弹性元件

79. 工作过程中电磁振动给料机有异常声响时应采取__D__。

A. 立即将给料机停止　　B. 通知电工

C. 减小负荷　　　　　　D. 立即停车，停止送煤

80. 电磁振动给料机，空载正常，负荷时振幅减少，其原因是__A__。

A. 料槽受煤料压力过大　B. 弹性元件变形

C. 振动器发热　　　　　D. 煤料粒度过大

81. 配煤量检查要求实际配煤量与规定配煤量之差应小于__D__。

A. ±4%　B. ±5%　C. ±10%　D. ±2%

82. 配煤就是将各类可以炼焦的煤种__C__配合。

A. 随意进行　　　　　　B. 按照一定的种类

C. 按照一定的重量　　　D. 按照变质程度

83. 煤的密度是指__D__与同温度同体积水的重量之比。

A. 在25℃时湿煤的重量　B. 在25℃时干煤的重量

C. 在20℃时湿煤的重量　D. 在20℃时干煤的重量

84. 煤的挥发分是指__A__。

A. 挥发物占煤的重量百分数

B. 挥发物占煤的体积百分数

C. 水和氧气的重量百分数

D. 水和氧气的体积百分数

85. 电磁振动给料机、振动器发热的原因是__C__。

A. 断路　　B. 轴承磨损

C. 单相运行　　D. 负荷减小

86. 给料不均匀或条筛堵塞将会造成粉碎机__D__。

A. 细度增高　　B. 轴承温度高

C. 振动减小　　D. 生产率降低

87. 备煤解冻设备一般采用解冻库，解冻库可分为__B__种形式。

A. 2　B. 3　C. 4　D. 5

88. 煤场机械分为卸煤设备和倒用设备，堆取料机属__A__。

A. 卸煤设备　　B. 倒用设备

89. 带式输送机中既是牵引件，又是承载件的是__D__。

A. 托辊　　B. 给料装置

C. 清扫装置　　D. 输送带

90. 胶带电子秤是以控制__C__为对象。

A. 不料量　　B. 压力

C. 瞬时输送量　　D. 电流

91. 煤的结焦性是指__B__。

A. 煤在气化过程中的反应性

B. 煤在干馏时能否结成优质焦炭的性能

C. 煤在干馏过程中生成胶质体的数量

D. 煤在高温下的结渣性能

92. 在先配后粉工艺中，煤的混合是在___C___完成的。

A. 混合装置　　　　　　B. 在配煤槽内

C. 粉碎机中　　　　　　D. 煤塔内

93. 以固体或液体可燃物为原料，经过各种热加工得的可燃气体称为___D___。

A. 天然气　　　　　　B. 沼气

C. 液化气　　　　　　D. 人工燃气

94. 炼焦炉的生产能力取决于___B___。

A. 煤的挥发分大小

B. 炭化室的尺寸个数和结焦速度

C. 炭化室的高度

D. 煤的变质程度

95. 当皮带运输机使用较大功率电机时应设置___C___。

A. 逆止数　　　　　　B. 除铁器

C. 过电流保护装置　　　　　　D. 清扫装置

96. 为了防止紧急事故的发生，在皮带运输机两侧应有___D___。

A. 拉紧装置　　　　　　B. 支撑器

C. 调整装置　　　　　　D. 紧急停车装置

97. 滑动轴承___D___加一次机械油 N23。

A. 一个月　　　　　　B. 两个月

C. 三个月　　　　　　D. 半个月

98. 滚动轴承___B___加一次钙钠基润滑脂。

A. 半个月　　　　　　B. 一个月

C. 两个月　　　　　　D. 三个月

（三）计算题

1. 炼焦日用煤量为 2000t，配煤皮带每小时输送湿煤量为 250t，试问皮带需要运转多少时间方可以运完？

【解】 $输送时间=\frac{日用煤量}{每小时输送量}=\frac{2000}{250}=8h$

答：皮带需要 8h 可以运完。

2. 配煤采取的气煤其配比是 30%，若焦炉日用配合煤 1500t，其气煤的消耗量为多少吨？

【解】 日气煤消耗量 = 日用煤量 × 配煤比

= 1500 × 30%

= 450t

答：气煤的消耗量为 450t。

3. 已知单种煤的水分，气煤为 10%，肥煤为 9%，焦煤为 8%，瘦煤为 8.5%，其配煤比为气煤 40%，肥煤 20%，焦煤 30%，瘦煤 10%，试计算配合煤的水分？

【解】

$配合煤水分=\Sigma X_i A_i$

$=\frac{(10\times40\%+9\times20\%+8\times30\%+8.5\times10\%)}{100}$

$=9.05\%$

答：配合煤的水分为 9.05%。

4. 若皮带输送机的能力为 300t/h，配煤每班上煤时间为 4h，问每班上煤多少吨？

【解】 上煤量 = 皮带输送能力 × 时间

= 300t/h × 4h

= 1200t

答：每班上煤 1200t。

5. 已知配煤槽容量为 350t，交班存量为 50t，皮带输送机的能力为 200t/h，问需要多少时间煤仓可以装满？

【解】 当班需上煤量 = 煤槽容量 − 交班存量

$=350-50$

$=300t$

上煤时间＝当班上煤量÷皮带输送能力

$=300\div200$

$=1.5h$

答：需要1.5h煤仓可以装满。

6. 已知配煤每小时配量为396t，焦煤的配比为30%，问每小时配焦煤量为多少吨，若炼焦日用煤量为2000t，其焦煤的用量为多少吨？

【解】 每小时配焦煤量＝小时配煤量×配煤比

$=396\times30\%$

$=118.8t$

日耗焦煤量＝日用煤量×配煤比

$=2000\times30\%$

$=600t$

答：每小时配焦煤量为118.8t，焦煤的日用量为600t。

7. 已知配煤量为每小时350t，肥煤的配比为25%，问每小时肥煤配入量为多少吨？若配比改为35%，其配入量又为多少吨？

【解】 每小时肥煤配量＝小时配煤量×配煤比

$=350\times25\%$

$=87.5t$

每小时肥煤配量＝小时配煤量×配煤比

$=350\times35\%$

$=122.5t$

答：每小时肥煤配入量为87.5t，若配比改为35%，其配入量为122.5t。

8. 焦炉全天24h的用煤量为2500t，配煤每小时配煤量为200t，问需要多少小时配完？

【解】 配煤时间＝日用煤量÷每小时配煤量

$$=2500 \div 200$$

$$=12.5\text{h}$$

答：需要12.5h配完。

9. 岗位有75kW电机一台，照明电灯100W 5个，若开车时间为4h，问共耗电多少千瓦小时？

【解】 耗电量$=P \times t=$

$$=75 \times 4+\frac{(100 \times 5)}{1000} \times 4$$

$$=300+0.5 \times 4$$

$$=302\text{kWh}$$

答：共耗电302kWh。

10. 焦炉一天生产焦炭2000t，若生产一吨焦耗1.4t湿煤，问全天共耗湿煤多少吨？

【解】 耗湿煤量＝日焦炭产量×吨焦耗煤量

$$=2000 \times 1.4$$

$$=2800\text{t}$$

答：全天共耗湿煤2800t。

（四）简答题

1. 简述备煤车间的主要任务？

答：主要任务是为煤制气的生产设备输送合格的入炉原料，同时也为其他制气设备输送合格的煤炭和焦炭。

2. 先配煤后粉碎工艺流程的特点？

答：煤的混合是在粉碎机中进行，工艺简单，布置紧凑，不能按不同的煤种要求控制不同的粉碎粒度，只适用于粘结性较好、煤质较均匀的煤料。

3. 煤中的水分是以何种状态存在的？

答：水分在煤中以外水分（物理水）内在水分（吸附水分）结晶水三种形式存在的。

4. 什么是煤的热稳定性？有何意义？

答：是指块煤在高温下剧烈变化的程度。也就是煤在温度急剧变化时保持原来粒度的程度。热稳定性好的煤在燃烧或气化过程中保持原来的粒度不碎成小块或只有少量破碎，热稳定性差的煤在燃烧或气化过程中，常会迅速破裂成小块粘块。

5. 装炉煤的粒度对炼焦的影响？

答：粒度过大煤混合不均匀，使焦炭内部结构不均一，焦炭强度降低；粒度过小增加了煤尘，使装炉操作困难，集气管内焦油渣增加，焦油质量降低，加速上升管堵塞。

6. 焦炉装炉煤的质量指标包括哪些？

答：水分、灰分、挥发分、硫分、煤的胶质层指数及膨胀压力、装炉煤的粉碎粒度。

7. 配煤的作用有哪些？

答：(1) 节约优质焦煤，将原来不能单独炼焦的煤与优质焦煤配合使用，炼出合格的焦炭，扩大了炼焦用煤的来源；

(2) 提高了本地区煤炭资源的自给能力，减少运输费用，降低生产成本；

(3) 充分利用各单性煤的结焦特性，改善焦炭质量；

(4) 增加炼焦化学产品的产率和炼焦煤气的发生量。

8. 煤的工业分析包括哪些？

答：煤的工业分析包括水分、灰分、挥发分、固定炭、硫分等含量的测定，以及煤的发热量测定。

9. 炼焦使用的煤种主要有哪几种？

答：瘦煤、焦煤、肥煤、气煤。

10. 煤的元素分析包括哪些？

答：煤的元素分析主要是测定煤种的碳、氢、氧、氮、硫5种元素。

11. 什么是配煤比？

答：为了使几种煤种配合后的质量指标符合装炉煤质量的要求，就需要确定各个煤种的配合煤中的重量百分比，这个重量百分比称为配煤比。

12. 配合煤的质量指标包括哪些？

答：配合煤的质量指标包括配合煤的灰分、硫分、挥发分和胶质层厚度，这些指标是配合煤的内在质量指标，除此之外还有外部质量指标，配合煤的水分、堆密度重、粒度组成以及配合煤的均匀程度。

13. 带式输送机由哪几部分组成？

答：由输送带、驱动装置、传动滚筒、改向滚筒、托辊、拉紧装置、给料装置、卸料装置、制动及逆止装置、清扫器、调心托辊、支架等组成。

14. 当配合煤水分超过规定指标对炼焦有什么影响？

答：配合煤的水分超过规定指标就会增大炼焦耗热量，延长结焦时间，甚至使下部焦饼过火，水分过高时还会造成碳化室急热急冷，损坏炉砖，缩短炉体寿命。

15. 备煤生产系统主要生产设备有哪些？

答：备煤生产系统主要生产设备有煤的接收、解冻、卸车、储存设备（亦称煤场设备）和煤的粉碎、筛分、配合、干燥、输送等设备。

16. 炼焦制气厂采用的输送机的布置有几种形式？

答：带式输送机的基本布置有四种，即水平、倾斜、带有凸弧曲线和带有凹弧曲线段等。

17. 粉碎设备在启动前应做什么工作？

答：粉碎机在启动前清除粉碎机内的余煤，用手扳动，看能否转动，防止因启动阻力过高而烧坏电机；启动时要注意电流表，同时观察电机启动情况，发现电机不能转动时，停止启动，进行检查，经检查后再次启动。

18. 配合煤的堆密度增加对配煤炼焦有什么影响？

答：配合煤的堆密度增加，可以增加焦炭产量，改善焦炭质量，有利于配用气煤和弱粘结性煤。

19. 带式输送机操作的准备工作有哪些？

答：(1) 检查皮带溜槽及漏煤口处有无堵塞物并清理；

(2) 检查皮带滚筒、托辊、皮带上有无杂物或被损坏并做处理；

(3) 检查联锁装置；

(4) 了解本班煤塔及配煤槽贮煤量。

20. 煤有哪些物理性质？

答：煤的密度、煤的滑润性、煤的内表面积、煤的机械强度、煤的热稳定性、煤的结焦性、煤的导热性、煤的结渣性。

21. 什么是煤的破碎和粉碎？破碎和粉碎的设备有哪几种？

答：将大块煤分裂成小块称为破碎，将小块煤变成细粉称为粉碎。破碎和粉碎的机械设备有反击式破碎机、锤式破碎机、双齿辊破碎机和箅形粉碎机。

22. 简述配煤比的确定？

答：确定配煤比以前，首先要确定配合煤种的类别和种数，通过化验取煤种的工业分析数据，然后确定配合重量百分比，试算这个配比所得到的配煤质量数据，如果不符合要求重新试算，直到符合配合煤质量要求，这个配煤比再经过配煤试验、焦炉试验加以证实才能确定为正式生产配煤比。

23．配煤盘有哪几部分组成？其工作原理如何？

答：配煤盘由圆盘、加减筒、刮煤板及减速传动装置组成，煤从配煤槽放料口经装在其下部可以升降的加减筒落至旋转的配煤圆盘上，由可以调节角度的刮煤板将煤不断刮落到配煤胶带上，圆盘由电动机、减速机、圆锥齿轮传动装置驱动。

24．造成皮带机堵料的原因，如何处理？

答：原因：料量过大，漏槽中有异物，物料水分较大，粘度大。

处理方法：启动下条运输带，人工捅开，有振动器的使用振动器清理异物，设置堵料监测器，及时发现堵料，避免损坏输送机。

25．电磁振动给料机工作原理,其生产能力取决于什么？

答：电磁振动给料机是利用电磁铁与弹性元件配合作为振动源，使电磁振动给料机的给料槽做高频率的往复运动，槽上的物料以一定的角度抛掷，而且朝一个方向给料。电磁振动给料机生产能力取决于（1）振幅改变和振动频率（2）给料槽的安装角度。

26．什么是人工煤气？人工煤气分哪几种？

答：以固体或液体可燃物为原料经各种热加工制得的可燃气体称为人工燃气。主要有干馏煤气;气化煤气、油制气等。

27．煤是由哪些物质组成的？

答：煤主要是由碳、氢、氧、氮、硫等元素结成的有机物质，伴随着在成煤过程中由外界混入的矿物质组成。所以煤由有机物和无机物组成。

28. 输送设备运行前的安全检查有哪些？

答：(1) 认真检查皮带机及附属设备是否处于良好状态；

(2) 检查岗位间联系信号是否畅通；

(3) 上岗操作应将劳保用品穿戴齐全。

29. 造成皮带打滑的原因及处理方法？

答：原因：(1) 由于皮带张力不足，皮带卡死；

(2) 负载过大，传动滚筒胶面损坏。

处理方法：(1) 调整皮带张力，清理卡死处；

(2) 卸掉荷载，及时修理传动滚筒胶面。

30. 什么是配煤细度？

答：煤料被粉碎后，0～3mm 粒度级的煤的重量占全部煤料重量的百分数称之为煤的细度。

实际操作部分

1. 题目：更换皮带输送机托辊的操作

考核项目及评分标准

序号	考核项目	评分标准	满分	检测点					得分
				1	2	3	4	5	
1	更换前准备工作	认真检查材料工具准备齐全	10						
2	操作步骤	步骤准确，不出现误操作	30						
3	文明生产	按要求进行记录填写，清理现场	20						
4	安全生产	安全保护装置的使用正确，进行空载试车，达到要求	20						
5	工　效	在规定时间内完成，超过时间扣分	20						

2. 题目：粉碎细度的调节操作

考核项目及评分标准

序号	考核项目	评分标准	满分	检测点					得分
				1	2	3	4	5	
1	粉碎细度指标	准确掌握粉碎细度控制指标	10						
2	细度调节操作	步骤清楚，操作得当	40						
3	文明生产	按要求填写记录	10						
4	安全生产	大失误不合格，小失误扣分	20						
5	工　效	在规定时间内完成，超过时间扣分	20						

3. 题目：输送煤料时纠正皮带跑偏的操作

考核项目及评分标准

序号	考核项目	评分标准	满分	检测点					得分
				1	2	3	4	5	
1	分析造成皮带跑偏的原因	能够准确判断跑偏的原因	10						
2	操作步骤	操作正确，步骤清晰	30						
3	合理使用调偏装置	根据实际情况采用相应装置	10						
4	文明生产	按要求填写记录	10						
5	安全生产	大事故不合格，小事故扣分	20						
6	工　效	在规定时间内完成，超过时间扣分	20						

4. 题目：试分析由于煤料堵塞溜槽的原因，如何进行处理

考核项目及评分标准

序号	考核项目	评分标准	满分	检测点 1	2	3	4	5	得分
1	造成堵料的原因	正确分析堵料的原因	10						
2	确定处理方案	方案可行有效	10						
3	操作步骤	步骤清晰，操作准确有条理	30						
4	文明生产	填写记录，清理现场	10						
5	安全生产	大事故不合格，小事故扣分	20						
6	工　效	在规定时间内完成，超过时间扣分	20						

5. 题目：更换煤种配量的操作

考核项目及评分标准

序号	考核项目	评分标准	满分	检测点 1	2	3	4	5	得分
1	掌握配煤比	当班配比清楚并掌握	10						
2	计算单种煤的配入量	能够准确计算配入量	10						
3	操作步骤	步骤清晰，操作准确	30						
4	文明生产	填写记录，清理现场	10						
5	安全生产	大事故不合格，小事故扣分	20						
6	工　效	在规定时间内完成，超时时间扣分	20						

6. 题目：输送皮带不上料的操作处理

考核项目及评分标准

序号	考核项目	评分标准	满分	检测点 1	2	3	4	5	得分
1	分析原因	准确判断造成的原因并知道采取相应的措施	20						

续表

序号	考核项目	评分标准	满分	检测点 1	2	3	4	5	得分
2	操作步骤	操作步骤清晰，按规程操作	30						
3	文明生产	填写记录，清理现场	10						
4	安全生产	考核中大事故不合格，小事故扣分	20						
5	工　效	在规定时间内完成，超过时间扣分	20						

7. 题目：造成配煤不准的原因是什么，如何进行调整

考核项目及评分标准

序号	考核项目	评分标准	满分	检测点 1	2	3	4	5	得分
1	配煤设备不准的原因	能准确分析原因，确定相应的调整方案	20						
2	操作步骤	操作有条理，针对性强，按规程要求进行操作	30						
3	文明生产	按要求填写记录	10						
4	安全生产	考核中大事故不合格，小事故扣分	20						
5	工　效	在规定时间内完成，超过时间扣分	20						

8. 题目：备煤车间设备润滑制度有哪些，如何保养

考核项目及评分标准

序号	考核项目	评分标准	满分	检测点 1	2	3	4	5	得分
1	主要设备	能够掌握车间主要设备	10						
2	设备润滑制度	了解保养制度	10						
3	实际操作	目的明确，步骤准确	30						

续表

序号	考核项目	评分标准	满分	检测点					得分
				1	2	3	4	5	
4	文明生产	填写记录，清理现场	10						
5	安全生产	考核中重大事故不合格，小事故扣分	20						
6	工　效	在规定时间内完成，超过时间扣分	20						

9. 题目：准确使用工作联系信号和安全装置

考核项目及评分标准

序号	考核项目	评分标准	满分	检测点					得分
				1	2	3	4	5	
1	各种工作信号	准确掌握各种工作联系信号的意义	20						
2	安全装置的作用	正确使用安全装置	20						
3	文明生产	严格按照规定要求使用联系信号及安全装置	20						
4	安全生产	考核中重大失误不合格，小失误扣分	20						
5	工　效	在规定时间内完成，考核内容超过时间扣分	20						

10. 题目：配煤量检测操作

考核项目及评分标准

序号	考核项目	评分标准	满分	检测点					得分
				1	2	3	4	5	
1	配煤比	了解当班配煤比	10						
2	计算配入量	准确无误	10						
3	检测操作	准确，有条理，有步骤，满足工艺要求	30						
4	文明生产	认真填写记录，清理现场	10						

续表

序号	考核项目	评分标准	满分	检测点					得分
				1	2	3	4	5	
5	安全生产	考核大事故不合格，小事故扣分	20						
6	工　效	在规定时间内完成，超过时间扣分	20						

第二章 中级配煤工

理论部分

（一）是非题（正确的打“√”，错误的打“×”，答案填在括号内）

1. 焦炉煤气属于干馏煤气，是人工煤气的一种。（√）
2. 天然气的主要成分是氢气和氮气。（×）
3. 燃气热值是指单位数量燃气燃烧时放出的热量。（×）
4. 燃气是由多种气体组成的混合气。（√）
5. 燃气中毒事故中最常见的是一氧化碳中毒。（√）
6. 燃气中加臭是为了增加煤气的热量。（×）
7. 决定燃气互换性的是燃烧特性指标华白指数和燃烧势。（√）
8. 焦炉煤气与发生炉煤气的生产原理相同，只是温度不同。（×）
9. 任何比例的燃气——空气混合气都会发生爆炸。（×）
10. 高温干馏是指煤在800～850℃的温度下进行的干馏。（×）
11. 电流经过的路径为电路，最简单的电路由电源、负载和连接导线组成。（√）
12. 电流方向随时间变化的称为直流电。（×）
13. 电流方向不随时间变化的称为交流电。（×）
14. 变压器是把一种等级的交流电压变成一种或几种不同等级的交流电压的静止电器。（√）

15. 电机主要由定子和转子组成。（√）

16. 煤是由有机物和无机物组成的，碳、氢、氧、氮、硫五种元素是有机物，其余是无机物。（√）

17. 配合煤炼焦采用的煤种有气煤、肥煤、焦煤、瘦煤等。（√）

18. 备煤车间的主要任务是炼焦制气。（×）

19. 确定备煤工艺流程的依据是煤的种类不同。（×）

20. 炼焦炉属于高温炼焦炉，主要生产冶金焦炭和煤气。（√）

21. 连续式直立炉主要用于生产煤气，要求入炉煤挥发分要高。（√）

22. 结焦性好的煤，粘结性较好，粘结性好的煤，结焦性也一定好。（×）

23. 气煤在炼焦配煤中可以增加收缩减少膨胀压力。（√）

24. 工业分析中对煤的水分有应用水分和分析水分两种。（√）

25. 配煤质量主要是控制煤的元素分析指标。（×）

26. 挥发分随煤的变质程度的加深有规律的增加。（×）

27. 煤的粘结性最终是用焦炭的耐磨强度来衡量的。（√）

28. 粘结性稍差的煤，采取措施也可以炼出合格的焦炭。（√）

29. 焦炭中的硫分是配合煤硫分的85%～90%。（√）

30. 粘结性着重于炼成合格焦炭的能力，而结焦性则着重于煤的成块能力。（×）

31. 配合煤胶质层过厚会产生很大的膨胀压力，易损坏

焦炉炉墙。（√）

32. 煤中的灰分是惰性物质属不可熔组分，因此配合煤灰分高，可以增加焦炭的强度。（×）

33. 降低配合煤灰分的有效途径是降低洗精煤的灰分。（√）

34. 气煤等弱粘结性煤的硬度较大，难以粉碎，故应进行细粉碎。（√）

35. 煤气的发热值随着装炉煤的挥发分增加而减少。（×）

36. 肥煤在配合煤中增加胶质体的数量，提高配合煤的粘结性。（√）

37. 炭化室是煤进行隔绝空气高温干馏的场所。（√）

38. 焦炉煤气是在炭化室内炼焦过程中产生的。（√）

39. 炼焦制气生产过程主要包括煤的准备、炼焦制气和煤气净化三大部分。（√）

40. 国家标准规定炼焦制气厂的装炉煤的胶质层厚度<13mm。（×）

41. 装炉煤的粒度是指<3mm 的装炉煤的重量百分比。（×）

42. 炼焦过程，煤的灰分将全部留在焦炭中。（√）

43. 灰分中的大颗粒容易在焦炭中形成裂纹中心。（√）

44. 气煤和肥煤都可以单独作为直立炉入炉煤，不需配煤。（√）

45. 煤的挥发分增加煤气产率增加，化产品产率降低。（×）

46. 煤中的硫含量高，会加速煤的风化和引起煤的自燃。（√）

47. 无烟煤可以添加配合煤，所以它是炼焦用煤。(×)

48. 煤的主要成分是碳，炼焦煤中碳的含量占50%以上。(√)

49. 配煤细度过高，可导致炼焦冒烟冒火加重。(√)

50. 装炉煤料堆比重增加，不利于煤气的产生。(×)

51. 配煤炼焦是把几种不同的单种煤按一定的比例配合起来炼焦。(√)

52. 评定配煤操作的好坏，只要对配煤前后的挥发分进行检查。(×)

53. 煤制气的破碎设备一般都采用笼形粉碎机。(×)

54. 单位长度配煤皮带上，煤的总量称为配煤比。(×)

55. 锤式粉碎机锤头磨损一般一年更换一次锤头。(×)

56. 粉碎机箅条磨损超过10mm必须更换。(√)

57. 当生产需要开两台粉碎机不能同时启动。(√)

58. 粉碎机在开车前必须进行人盘车一周。(√)

59. 直立炉干馏制气生产过程中，其备煤工艺中可不设粉碎工序。(√)

60. 不同种类的煤，在同一粉碎机进行粉碎，粉碎细度应该相同。(×)

61. 分析水分是生产中考察含水量的指标。(×)

62. 某一配煤给料机下料口堵塞不下煤，应停止给料停车处理。(√)

63. 配合煤细度与锤头距箅子的距离有关与箅条磨损无关。(×)

64. 粉碎机室粉尘较为严重，因此应采用防爆型电机。(√)

65. 电磁振动给料机是利用电磁铁和弹性元件作为振动

源。（√）

66．低变质程度的煤在常温下，与空气接触不易发生氧化，因此存放时间相应可以长一些。（×）

67．发现混煤事故应立即停止使用，化验后分别处理。（√）

68．配煤时发生煤种断流，应采取及时补煤方法进行处理。（×）

69．皮带磨损超过其厚度的40%～50%应立即更换。（√）

70．粉碎机开车前应开启除尘设备，再启动粉碎机，空载正常后，方能通知上煤。（√）

71．实际配煤量与规定配煤量之差应小于配煤胶带上该煤种配入量的2%。（√）

72．评价配煤操作的好坏主要是对配煤前后的灰分检查。（×）

73．采用配煤盘进行配煤时，配煤生产能力只与加减筒有关。（×）

74．电磁振动给料机的生产能力只与振幅有关。（×）

75．煤的细度提高和水分增加时，锤式粉碎机能力增大。（×）

76．皮带输送机在运送物料时负载过大，容易造成电机温升过高。（√）

77．皮带跑偏的方向不定，忽左忽右，是由于皮带较松造成的。（√）

78．粉碎机衬板与锤头距离过小容易造成粒度不达标。（×）

79．粉碎机锤头磨损、折断会使振动增加。（√）

80. 磨损的锤头补焊上耐磨合金后可重使用，但各锤头重量差不得大于±25g。 (√)

81. 在配煤中增加焦炭会使焦炭裂纹减少，块度减小。 (×)

82. 配合煤前后的挥发分相差不超过±0.3%。 (×)

83. 配合煤前后的灰分相差不超过±0.7%。 (×)

84. 电子计算机引入备煤系统，它主要是控制胶带机的启动。 (×)

85. 机器运转时要注意机械声音、电流、轴承温度和电机温度。 (√)

86. 下料斗与皮带间安装橡胶挡板，便于清扫皮带。 (×)

87. 配煤的结焦性是由单种煤的性质和配入比例决定的。 (√)

88. 配煤的膨胀压力过大，会造成焦炉炉体的损坏。 (√)

89. 配煤的胶质层指标取决于配煤的挥发分指标。 (×)

90. 手持电灯，电压不得超过36V。 (√)

91. 在对设备进行润滑时应转动机器以便使其各部件充分润滑。 (×)

92. 在进行设备检修时，应有专人看管，在特殊情况下拉下电源。 (×)

93. 煤的粘结性就是它的干馏特性。 (×)

94. 煤的应用水分是考察含水量的指标。 (√)

95. 煤的分析水分是煤的变质程度和风化程度的参考指标。 (√)

96. 煤在直立炉干馏过程中，和煤的物理性质有关。

(√)

97. 煤受热后是否易于破裂，能否保持原来粘度的特性，叫热稳定性。(√)

98. 灰分变成熔融状时的温度叫软化温度。(×)

99. 煤的基本化学性质是由其粘结性来判别的。(×)

100. 当设备发生故障，待处理后方可发出信号进行操作。(√)

101. 我国煤分类的指标是指煤的挥化分和煤的葛金指数。(×)

102. 煤中的硫以无机物形态存在。(×)

103. 皮带运输机的胶带只起承载作用。(×)

104. 皮带的连接方法中只可热粘。(×)

105. 炼焦过程中主要经历了煤的干燥和收缩阶段。

(×)

106. 焦炭灰分在炼铁过程时会增加助熔剂耗用量。

(√)

107. 一级冶金焦要求灰分＜12%，因此配合煤的灰分不得高于9%。(√)

108. 任何比例燃气——空气混合气体遇明火都可发生爆炸。(×)

109. 增强煤的堆密度或配型煤炼焦，可以提高焦炭强度。(√)

110. 碳是煤中的最重要元素，其含量随变质程度加深或减少。(×)

111. 煤的粒度过细会造成混合不均降低焦炭的强度。

(√)

112. 皮带输送机设置的紧急停车装置是为了方便停车。（×）

113. 皮带输送机运转时滚筒如果粘有煤粉应该用铁铲将其清理干净。（×）

114. 干馏煤气的热值要比天然气的热值高。（×）

115. 皮带拉紧装置是为防止皮带磨损。（×）

116. 当配煤负载过大时，可以引起电流增大。（√）

117. 皮带输送机布置时，其倾角不应超过 20°。（√）

118. 煤的干馏过程是煤的物理变化的过程。（×）

119. 煤内水分增加时，水蒸气与焦炭发生反应会降低焦炭产量。（√）

120. 煤的热值是指每单位质量的煤完全燃烧所产生的热量。（×）

（二）选择题（把正确的答案序号填每题的横线上）

1. 城市燃气可分为__D__三大类。

A. 焦炉煤气、气化煤气、油制气

B. 天然气、矿井气、液化石油气

C. 干馏煤气、人工煤气、煤层气

D. 天然气、人工燃气、液化石油气

2. 发生炉煤气和水煤气不宜单独作为城市燃气气源的原因是__C__。

A. 热值低　　B. CO_2 含量高

C. CO 含量高毒性大　　D. 水蒸气多

3. 燃气热值是指__D__所放出的热量。

A. 燃气燃烧时　　B. 燃气完全燃烧时的

C. 单位数量燃气燃烧时　　D. 单位数量燃气完全燃烧时

4. 燃气是多种气体的混合气，它具有__C__的特点。

A. 易氧化　　　　　　　B. 易着火

C. 易燃、易爆、易中毒　D. 易挥发

5. 干馏煤气热值与煤的挥发分之间的关系是__A__。

A. 随煤的挥发分增高而增加

B. 随煤的挥发分降低而增加

C. 随煤的挥发分降低而减少

D. 与煤的挥发分没有关系

6. 城市燃气中要求加臭是为了__A__。

A. 防止泄漏、便于检测　B. 降低爆炸极限

C. 增加热值　　　　　　D. 增加气量

7. 焦炉煤气的生产过程是__B__过程。

A. 汽化　　　　　　　　B. 高温干馏

C. 催化裂解　　　　　　D. 氧化

8. 液化石油气的热值比天然气的热值要__A__。

A. 高　　B. 低　　C. 相同　　D. 差不多

9. 备煤车间平皮带传动中，两带轮回转方向相同，应采用__A__。

A. 开口传动　B. 半交叉传动　　C. 交叉传动

10. 电气设备发生火灾时，来不及断电时应采用__C__。

A. 泡沫灭火机灭火

B. 用水灭火

C. 用干粉灭火机灭火

11. 我国规定城市燃气的低热值不应小于__B__。

A. 4396kJ/Nm^3　　　B. 14654kJ/Nm^3

C. 5024kJ/Nm^3　　　D. 16747kJ/Nm^3

12. 我国采用的煤分类主要指标有__D__。

A. 可燃基挥发分、基氏流动度

B. 干基挥发分、胶质层厚度

C. 罗加指数、干基挥发分

D. 可燃基挥发、粘结指数

13. 煤的相对密度是指__B__的重量与相同温度同体积水的重量之比。

A. 25℃的煤　　　　B. 20℃的干煤

C. 25℃的干煤　　　D. 20℃的煤

14. 煤在一定的高温条件下，与二氧化碳、水蒸气或氧气相互作用的反应能力叫__B__。

A. 煤的粘结性　　　B. 煤的反应性

C. 煤的结焦性　　　D. 煤的热稳定性

15. 煤的组成以有机物质为主体，煤中有机质主要由__C__等元素组成。

A. 碳和氧　　　　　B. 碳和硫

C. 碳、氢、氧、氮、硫　D. 碳和硫酸盐

16. 煤中包括碳、氢、氧、氮、硫五大元素，而碳是最重要的元素，碳在煤中含量一般是__A__。

A. >50%　　　　　B. <50%

C. >80%　　　　　D. <40%

17. 固定碳是残留在焦渣中的可燃部分，其计算方法是__B__。

A. 固定碳=100+灰分-(水分+挥发分)%

B. 固定碳=100-(灰分+水分+挥发分)%

C. 固定碳=100-(灰分+挥发分)%

D. 固定碳=100-(水分+挥发分)%

18. 煤的工业分析项目主要包括__D__。

A. 细度、机械强度、水分的测定

B. 碳、氢、氧、氮、硫的测定

C. 粘结指数、胶质层厚度的测定

D. 水分、灰分、挥发分固定碳等含量的测定

19. 煤的元素分析是指__C__。

A. 水分、灰分、挥发分、固定碳的测定

B. 钾、钠元素的测定

C. 碳、氢、氧、氮、硫等元素的测定

D. 稀有元素的测定

20. 煤的机械强度是指__D__。

A. 煤的抗碎强度

B. 煤的抗压强度

C. 煤的耐磨强度

D. 抗碎强度、耐磨强度、抗压强度

21. 炼焦用煤根据其性质可分为__A__。

A. 气煤、焦煤、瘦煤、肥煤、1/3 焦煤

B. 烟煤、无烟煤、动力煤

C. 1/3 焦煤、长焰煤、无烟煤、1/2 中粘煤

D. 原煤、洗精煤、动力煤

22. 煤的物理性质指的是__B__。

A. 水分、灰分、挥发分、硫分

B. 密度、热稳定性、灰熔点、机械强度

C. 水分、密度、热稳定性、硫分

D. 碳、氢、氧、氮、硫的含量

23. 煤最基本的分析项目是__C__。

A. 煤的密度　　　　B. 煤的胶质层厚度

C. 元素分析和工业分析　D. 煤的粘结性

24. 冶金焦的质量是配煤质量决定的，配合煤质量指标

中规定，配合煤的胶质层厚度应该 B 。

A. <10mm　　B. >13mm

C. ≥20mm　　D. ≤15mm

25. 煤的工业分析中对煤的水分有 C 和分析水分两种。

A. 内在水分　　B. 结晶水

C. 应用水分　　D. 化合水

26. 煤的挥发分随着煤的变质程度加深 B 。

A. 有规律的增高　　B. 有规律的减少

C. 忽高忽低　　D. 二者没有关系

27. 配合煤的灰分炼焦后全部残留在焦炭中，如果生产灰分小于 12% 的焦炭，配合煤灰分不得高于 A 。

A. 9%　B. 10%　C. 12%　D. 11.5%

28. 提高煤的堆密度或采用捣固方法可使煤料的 C 提高。

A. 结焦性　　B. 反应性

C. 粘结性　　D. 稳定性

29. 煤的粘结性的好坏取决生成胶质体的 D 。

A. 数量　　B. 质量

C. 温度　　D. 数量和性质

30. 煤的干馏分三种，高温干馏的温度范围是 C 。

A. 600～800℃　　B. 500～550℃

C. 900～1050℃　　D. 1100～1300℃

31. 煤的风化和自燃与 B 有关。

A. 煤的灰分　　B. 煤的变质程度和硫分

C. 煤的挥发分和水分　　D. 煤的结焦特性

32. 在炼焦用煤中可以加大收缩度，增加煤气和化产品的煤是 A 。

A. 气煤 B. 焦煤 C. 肥煤 D. 瘦煤

33. 在我国配合煤灰分高的原因是洗精煤灰分偏高而单种煤灰分高难洗的煤是 D 。

A. 气煤、1/3 焦煤 B. 瘦煤、贫煤

C. 无烟煤、气煤 D. 焦煤、肥煤

34. 连续式直立炉生产煤气时要求煤料 B 。

A. 灰熔点低、挥发分高 B. 灰熔点高、挥发分高

C. 灰熔点低、挥发分低 D. 灰熔点高、挥发分低

35. 碳是煤中主要元素，随着变质程度的加深 A 。

A. 碳含量增加 B. 碳含量减少 C. 碳含量不变

36. 干馏煤气的主要成分是 D 。

A. 一氧化碳、硫化氢 B. 氮气、氧气

C. 甲烷、乙烷、丁烷 D. 甲烷、氢气

37. 连续式直立炉是采用 D 作为原料煤的。

A. 焦煤 B. 无烟煤

C. 瘦煤和长焰煤 D. 肥煤或气煤

38. 单种煤中，其结焦性最好的煤是 C 。

A. 气煤 B. 肥煤 C. 焦煤 D. 瘦煤

39. 在炼焦制气过程中，提高煤的最终干馏温度，焦炭中的硫含量 C 。

A. 增加 B. 不变 C. 减少

40. 炼焦制气入炉煤的配煤质量指标中，其挥发分（干基）应控制在 B 。

A. 22%～23% B. 26%～32%

C. ≥30% D. ≤25%

41. 为确保焦炭质量，要求配合煤细度（<3mm 含量）为__A__。

A. 75%～80%　　B. ≤75%

C. ≥90%　　D. 95%以上

42. 煤样在隔绝空气的条件下，在__D__温度下加热7min 以气态形式逸出的物就是挥发分。

A. 800±10℃　　B. 950±20℃

C. 400±20℃　　D. 900±10℃

43. 单位长度配煤胶带机煤的总量称为__A__。

A. 配煤量　　B. 煤的密度

C. 配煤比　　D. 堆密度

44. 备煤车间其主要任务是__D__。

A. 煤的贮备

B. 煤的卸车倒运

C. 煤的配合

D. 来煤的卸车、贮放、生产配合煤

45. 备煤车间各种工艺流程区别主要在于__C__。

A. 单种煤的性质　　B. 备煤设备的大小

C. 粉碎加工方式　　D. 贮煤方式的不同

46. 配合煤的内在质量指标包括__B__。

A. 水分、胶质体　　B. 灰分、硫分

C. 细度、抗碎强度　　D. 挥发分、收缩度

47. 在配煤过程，造成实际配煤量与理论配煤量有较大差异的主要原因是__C__。

A. 单种煤的水分不同

B. 煤的工业分析化验不准

C. 单种煤没有按照规定配比配入

D. 煤料粒度不均

48. 煤中的硫是有害物质，在配煤中应加以控制其值应在__B__。

A. >1.2%　B. <1%　C. <0.5%　D. >1%

49. 配合煤水分指标的控制，对焦炉操作有很大影响，当水分大于10%时则会造成__B__。

A. 加剧焦炉的冒烟冒火　B. 炼焦耗热量增大

C. 炭化室石墨沉积加快　D. 增加炭化室膨胀压力

50. 当装炉煤的水分低于7%时，对焦炉操作的影响是__C__。

A. 炼焦耗热量增大　B. 煤气产量增加

C. 加剧装炉时冒烟着火　D. 炉温降低

51. 进行配合煤炼焦的原理是充分利用__B__。

A. 煤的燃烧特性　B. 不同煤种的特性

C. 煤的汽化特征　D. 各种煤其碳含量的不同

52. 备煤工艺中，选择性粉碎是指__C__。

A. 对各种煤进行粉碎且达到细度相同

B. 个别煤种不粉碎

C. 对各单种煤根据煤的性质分别控制

D. 各种煤混合后粉碎

53. 在配煤过程中，为确保配煤准确，每隔__C__对配煤量检测一次。

A. 10min　B. 40min　C. 60min　D. 120min

54. 为确保配合煤的质量，在配煤过程中，需要对挥发分指标进行控制挥发分指标，前后对照不应超过__A__。

A. ±7%　B. ±2%　C. ±1%　D. ±0.5%

55. 配合煤的灰分将直接影响焦炭的灰分，配煤过程中灰分指标前后对照不应超过__B__。

A. ±5%　B. ±2%　C. ±1%　D. ±0.2%

56. 电动机主要由__D__组成。

A. 线圈、壳体　B. 壳体、风扇

C. 轴、磁铁　D. 定子、转子

57. 电源分为直流电源和交流电源，交流电的大小和方向__B__。

A. 不随时间变化

B. 随时间不断变化

C. 大小随时间变化，方向不变

D. 大小随时间变化，方向不随时间变化

58. 直流电的大小方向与时间的关系是__B__。

A. 随时间变化　B. 不随时间变化

C. 方向随时间变化　D. 大小随时间变化

59. 电动机、电线冒烟着火应采取__D__。

A. 直接用水灭火

B. 采用泡沫灭火器灭火

C. 扑打

D. 切断电源，用绝缘灭火器灭火

60. 电机在运转时发现有异常声响时采取__D__的措施。

A. 通知电工　B. 减小负荷

C. 用力击打　D. 立即停车

61. 工厂内的照明电路与动力电路__A__。

A. 分开　B. 不分开　C. 可分可不分

62. 常用的配煤设备主要包括__A__。

A. 配煤槽、给料机、粉碎机

B. 移动小车、给料机

C. 斗嘴、电子称

D. 可逆皮带、料位仪

63. 造成轴承温度过高的原因是___C___。

A. 负荷增加　　B. 负荷减小

C. 轴承润滑不足　　D. 轴承间隙大

64. 锤式粉碎机在使用时，造成煤料细度不足的主要原因是由于___C___。

A. 锤头数量不足　　B. 筛条间隙大小不一致

C. 锤头磨损或条筛损坏　　D. 煤料粒度不均

65. 在实际生产中，为了使配煤操作稳定应避免___A___。

A. 频繁更换煤种　　B. 使用两种以上的煤

C. 使用自动配煤　　D. 使用低灰煤

66. 配合煤是由___D___的煤料组成的。

A. 不同牌号　　B. 不同粒度

C. 相同牌号相同粒度　　D. 不同牌号，不同粒度

67. 当生产能力一定时，煤中水分增加会使粉碎细度___B___。

A. 增加　　B. 降低　　C. 没有影响

68. 在炼焦配煤过程中，如果有一单种煤发生断流应如何处理___A___。

A. 立即停车　　B. 立即通知上煤

C. 用别的煤代替　　D. 加大其他煤的配量

69. 电磁振动给料是利用___B___作为振动源。

A. 弹簧　　B. 电磁铁与弹性元件

C. 电动机　　D. 电机和弹簧

70. 电磁振动给料的振动器发热的原因是___C___。

A. 断路　　B. 轴承磨损

C. 单相运行　　　　　　D. 负荷减小

71. 粉碎机锤头容易磨损，一般__C__更换锤头。

A.1 年　　B.6 个月　　C.3 个月　　D.1 个月

72. 粉碎机运行时对电流、轴承温度和电机温度每隔__B__检查一次。

A. 10min　　B. 30min　　C. 60min　　D. 120min

73. 电磁振动给料机空载正常，负荷时振幅减少是由于__A__造成的。

A. 料槽受煤料压力过大　B. 弹性元件磨损

C. 振动器发热　　　　　D. 煤料粒度小

74. 当煤给料不均匀或条筛堵，将会造成粉碎机__D__。

A. 轴承温度高　　　　　B. 加大振动

C. 掉闸　　　　　　　　D. 生产率降低

75. 肥煤、焦煤贮放期限为__C__。

A.30 天　　B.40 天　　C. 60 天　　D. 90 天。

76. 配煤槽必须固定装煤种，其装满高度应保持__B__。

A. 全满　　　　　　　　B. 1/2 以上

C. 1/5 以上　　　　　　D. 1/4 以上

77. 配煤量检查要求实际配煤量与规定配煤量之差应小于__C__。

A. ±4%　　B. ±5%　　C. ±2%　　D. ±10%

78. 煤的挥发分是指__C__。

A. 水和氧气的体积百分数

B. 水和氧气的重量百分数

C. 挥发物占煤的重量百分数

D. 挥发物占煤的体积百分数

79. 电子皮带秤是以控制__A__为对象。

A. 瞬时输送量　　　　　B. 压力

C. 速度　　　　　　　　D. 振幅

80. 滑动轴承__D__加一次机械油。

A. 一个月　B. 两个月　C. 三个月　D. 半个月

81. 在炼焦制气厂生产中输送煤料的主要设备是__A__。

A. 固定式皮带运输机　　B. 铲车

C. 起重机　　　　　　　D. 翻车机

82. 固定式皮带运输机在用作倾斜输送时其倾角最大不能超过__A__。

A. 18°　B. 25°　C. 30°　D. 45°

83. 调心托辊用于调整皮带，使其保持正常运行一般每隔__C__上托辊设置一组。

A. 5组　B. 8组　C. 10组　D. 15组

84. 皮带运输机空载正常加上负荷就跑偏是由于__A__造成的。

A. 落料点不正　　　　　B. 滚筒粘煤

C. 皮带张力过大　　　　D. 皮带张力小

85. 皮带运输机空载跑偏加上负荷正常是因为__B__。

A. 落料点不正　　　　　B. 皮带初张力过大

C. 滚筒粘煤　　　　　　D. 滚筒磨损

86. 在使用较大功率的电机为防止电机烧坏应该设置__D__。

A. 逆止器　　　　　　　B. 除铁器

C. 减振器　　　　　　　D. 过流保护装置

87. 煤的发热量是指单位重量的煤__C__所产生的热量。

A. 完全气化　　　　　　B. 干馏后

C. 完全燃烧　　　　　　D. 部分燃烧

88. 以固体或液体可燃物为原料，经过各种热加工得的可燃气体被称为__D__。

A. 天然气　　B. 沼气

C. 热煤气　　D. 人工煤气

89. 备煤车间主要污染是煤尘，按标准备煤车间煤尘的允许浓度为__A__。

A. $10mg/m^3$　　B. $15mg/m^3$

C. $20mg/m^3$　　D. $25mg/m^3$

90. 粉碎机锤头补焊耐磨合金后，可重新使用，但锤头重量相差不得大于__C__。

A. ±10g　B. ±15g　C. ±25g　D. ±50g

91. 金属滚筒表面外皮厚度磨损超过__D__应予以更换。

A. 20%　B. 30%　C. 40%　D. 60%

92. 备煤车间贮煤场的容量应该满足__B__贮备量。

A. 5～6天　　B. 10～15天

C. 20～50天　　D. 50天以上

93. 配入型煤进行炼焦是从__B__方面进行改进的。

A. 改变煤中的粒度组成　B. 增加煤料的堆密度

C. 掺加添加物　　D. 改变炼焦速度

94. 在配煤中增加焦煤和瘦煤，其影响是__A__。

A. 焦炭的收缩裂纹减少，块度增大

B. 焦炭的收缩裂纹加大，块度增大

C. 焦炭的收缩裂纹减少，块度减小

D. 焦炭的收缩裂纹加大，块度减小

95. 煤料粉碎后，0～3mm粒度级的煤的重量占全部煤料重量的百分数叫__B__。

A. 煤的比重　　B. 煤的细度

C. 破碎比　　　　　D. 煤化度

96. 岗位设置的联锁装置的作用是__A__。

A. 保护电机　　B. 防止堵　　C. 启动皮带

97. 配合煤中如果气煤的配入量增加，则煤气的产量会__A__。

A. 增加　　　　B. 减少　　　C. 不变

98. 粉碎机在运转前为什么要盘车一周__C__。

A. 为了润滑

B. 清除杂物

C. 防止启动电流大烧坏电机

99. 炼焦时煤的水分增 1%，炼焦时间将延长__A__。

A. 5～10min　　B. 10～15min　　C. 15～20min

100. 减速机加油周期为__A__。

A. 3 个月　　B. 6 个月　　C. 1 个月

（三）计算题

1. 在配煤操作过程中，已知其配煤比为气煤 30%，肥煤 30%，焦煤 30%，瘦煤 10%；各单种煤可燃基挥发分为气煤 35%，肥煤 32.1%，焦煤 22.4%，瘦煤 16%，实际测得配合煤挥发分为 28.2。问配煤质量指标是否达到要求?

【解】

$$V'_{daf}=[(35\times30+32\times30+22.4\times30+16\times10)/100]\%$$
$$=28.42\%$$

实际配煤挥发分　$V_{daf}=28.2$

故配煤前后对照差 $V'_{daf}-V_{daf}=(28.42-28.2)\%=0.22\%$ 在 $\pm0.7\%$ 范围

答：配煤质量指标达到要求。

2. 在配煤操作过程中，已知配煤比为气煤 20%，肥煤

35%，焦煤 35%，瘦煤 10%，各单种干基灰分为气煤 8.1%，肥煤 9.5%，焦煤 10.5%，瘦煤 7.98%，实际测得配合煤灰分为 9%。试问配煤灰分质量指标是否达到要求？

【解】

$$A'_d = [(20\times 8.1 + 9.5\times 35 + 10.5\times 35 + 7.98\times 10)/100]\%$$
$$= 9.418\%$$

$A'_d - A_d = (9.418-9)\% = 0.418\%$ 超过 $\pm 0.3\%$

答:故配煤灰分质量指标未达到要求。

3. 已知炼焦日耗煤为 2600t 湿煤,若配煤水分为 10%，问炼焦日耗干煤为多少吨？若配煤能力为 200t/h,试计算需要多少小时才配完。

【解】 干煤量 = 湿煤量/(1 − 10%) = 2888.89t

配煤时间 = 2600/200 = 13h

答：需要 13h 才配完。

4. 已知配煤比为气煤 30%，肥煤 20%，焦煤 35%，瘦煤为 15%，已知各单种煤水分为气煤 9%，肥煤 10.2%，焦煤 9.8%，瘦煤 10%，皮带运输机每小时可输送干煤为 450t 在 0.5m 皮带上配煤的干煤量为 45kg，试计算各单种煤在 0.5m 皮带上配入的湿煤量为多少？

【解】 气煤配入量 = (0.5 米上干煤配入量 × 配煤比)/(100 − 水分)

= (30×45)/(100 − 9) = 14.80kg

肥煤配入量 = (20×45)/(100 − 10.2) = 10.00kg

焦煤配入量 = (35×45)/(100 − 9.8) = 17.3kg

瘦煤配入量 = (15×45)/(100 − 10) = 7.5kg

答:气煤在 0.5m 皮带上配入的湿煤量为 14.80kg;

肥煤在 0.5m 皮带上配入的湿煤量为 10.00kg;

焦煤在0.5m皮带上配入的湿煤量为17.3kg；

瘦煤在0.5m皮带上配入的湿煤量为7.5kg。

5. 已知某岗位有两台100kW电机，在负荷小的情况下，只需开一台车，其照明电灯为100W共4个，开一台车，开车时间为4h，问耗电为多少千瓦时？若开两台车，开车时间为2h，问耗电为多少千瓦时？

【解】

耗电量 = 100×4 + (4×100)/1000×4 = 401.6kWh

耗电量 = 100×2×2 + (4×100)/1000×2 = 400.8kWh

答：开一台车，开车时间为4h，耗电为401.6kWh；

开两台车，开车时间为2h，耗电为400.8kWh。

6. 焦炉生产一天耗湿煤2500t，若生产1t焦耗煤1.35t湿煤，问焦炉一天共生产多少吨焦炭。若配煤生产能力为250t/h（湿煤），问配煤时间为多少小时？

【解】 日焦炭产量 = 耗湿煤量/吨焦耗湿煤量

= 2500/1.35

= 1851.85t

配煤时间 = 耗湿煤量/每小时配煤量

= 2500/250

= 10h

答：配煤时间为10h。

7. 已知配煤斗槽每个槽的容量为350t，共有5个斗槽，若气煤使用其中1个，气煤的配比为20%，配煤的生产能力为200t/h，问气煤的每小时配入量为多少？气煤斗槽的煤可以使用多长时间？

【解】 气煤每小时配入量 = 小时配煤能力×配煤比

= 200×20% = 40t

气煤槽使用时间＝气煤斗槽煤量/气煤小时配入量

＝350/40＝8.75h

答：气煤的每小时配入量为40t；气煤斗槽的煤可以使用8.75h。

8. 已知煤塔容量为2000t，配煤交班贮量为1200t，配煤生产能力为200t/h，若配煤连续上煤3.5小时，问是否会造成满仓？

【解】 应上煤量＝煤塔容量－交班贮量

＝2000－1200＝800t

配煤时间＝上煤量/小时配煤量＝800/200＝4h

答：贮煤3.5h不会造成满仓。

9. 已知配煤比气煤25%，焦煤35%，肥煤30%，瘦煤10%；焦煤的灰分为9.8%，气煤的灰分为10%，肥煤的灰分11%，瘦煤的灰分9%。计算配合煤灰分是多少？若结焦率按75%，计算预测焦炭的灰分为多少？

【解】

$$A_d = \Sigma X_i A_i$$

$$= [(25\times10+30\times11+35\times9.8+10\times9)/100]\%$$

$$= 10.13\%$$

A_{K1}＝配煤灰分/结焦率＝13.51%

答：配合煤灰分是10.13%；预测焦炭的灰分为13.51%。

10. 已知配煤比气煤为30%，焦煤35%，肥煤30%，瘦煤15%；气煤挥发分32.5%，肥煤挥发分30.4%，焦煤挥发分21.6%，瘦煤的挥发分16.3%。计算配合煤挥发分是多少？

【解】 $V_{daf} = \Sigma X_i A_i = 28.87\%$

答：配合煤挥发分是28.87%。

（四）简答题

1．确定备煤车间工艺流程的依据有几点？

答：确定备煤工艺流程要考虑两个因素：一是不同煤种在粉碎上的不同要求；二是同一煤种不同宏观组分在粉碎程度上的不同要求。

2．什么是煤的粘结性？

答：粘结性是煤在隔绝空气条件下，加热产生的胶质体粘结成半焦的能力，也就是使无粘性的惰性物料被粘结的功能，煤的粘结性不仅是指生成焦炭对外力的抵抗能力，还包括碳素溶解反应的抵抗能力，煤的粘结性最终是用焦炭耐磨强度来衡量。

3．什么是煤的结焦性？

答：煤的结焦性是指原料隔绝空气加热，达到一定温度后形成块度适宜并具有一定强度焦炭的能力。

4．焦炉制气的配煤质量的基本要求是什么？

答：焦炉制气的配煤质量的基本要求为

挥发分（干基）26％～32％

灰分（干基）＜10％

硫分（干基）＜1％

水分＜10％

胶质层厚度（Y）＞13mm

焦块最终收缩度（X）28～33mm

膨胀压力＜10～20kPa

粒度（小于3mm的含量）75％～80％

5．配合煤灰分对焦炉产品的影响？

答：配煤的指标是为保证焦化产品质量而制定的。配合煤质量直接影响产品的优劣，配合煤的灰分在炼焦后全部残留于焦炭中，灰分越高则炼铁时焦炭和石灰石消耗量就增大，生铁产量会降低，同时灰分中的大颗粒容易在焦炭中形成裂纹中心，降低焦炭的抗碎强度和耐磨性，所以配合煤必须控制灰分。

6. 煤的结焦性与粘结性的关系。

答：结焦性与粘结性有着密不可分的关系，但又有所不同，其一是概念不同，粘结性着重于煤粘结成块的能力，结焦性则着重于炼成合格焦炭的能力；其二是粘结性的测定一般只到形成半焦为止，而结焦性的测定则是直到形成焦炭为止；其三一般说粘结性好，结焦性也好，但有的煤粘结性很强，但炼出的焦炭强度不高，块不大，粘结性稍差的煤，采取措施也可炼出合格的焦炭。

7. 确定配煤比的基本要求。

答：(1) 配合煤炼成的焦炭应达到规定的质量标准；

(2) 充分利用肥气煤、肥煤适当配用焦煤，扩大粘结煤的用量；

(3) 配煤使用的各煤种，在运输中应防止对流和重复运输，尽量利用就近矿区的煤种；

(4) 有利于增加焦化产品和焦炉煤气的产量。

8. 煤是由哪些物质组成的？

答：煤是由有机物和无机物组成，煤中的碳、氢、氧、氮、硫五种元素是有机物质，其余是无机物。

9. 为什么煤的元素分析是煤质研究的主要内容？

答：煤的组成以有机质为主体。煤的工艺用途主要是由煤中有机质的性质决定的。煤中有机质主要由碳、氢、氧、氮、硫等元素组成，生产中则是利用元素分析配合其他工业性质试验来了解煤中有机质的组成和性质，有机质的元素组成与煤的成因，煤若组成及变质程度有关，所以它是煤质研究的主要内容。

10. 配煤的目的是什么?

答：配煤就是将两种或两种以上的煤按适当的比例均匀地配合，使各种煤之间取长补短，在保证生产优质冶金焦的前提下合理使用本地区的资源，又可多增产炼焦化学产品和煤气，配煤目的就在于此。

11. 配煤的原理是什么?

答：采用合理的配煤方案，可以生产出优质焦炭，单种煤的结焦性，取决于该煤的性质，配煤的结焦性则取决于各配入煤种的性质及其配入比例，配煤的结焦性是各配入煤种结焦性的综合作用结果。

12. 简述煤的粉碎粒度对炼焦生产的影响。

答：粒度过细会造成配煤混合不均，输送和装煤时产生偏析造成焦炭内部结构不均一，降低耐磨强度和抗碎强度，煤的粒度过高，会使装炉操作条件恶化，煤尘进入集气管使焦油质量变坏，加速上升管堵塞。

13. 简述可逆式粉碎机的工作原理。

答：锤式粉碎机靠冲击力粉碎煤块，煤块进入粉碎机后被高速回转的锤头初步粉碎，粉碎的煤粒从锤头处获得动能，高速冲向挡板，筛条与此同时煤粒多次相互碰撞，再次粉碎小于筛条间隙的煤粒排出，留下的大粒度煤粒继续上述过程。

14. 简述皮带输送机的组成。

答：主要由胶带、支撑装置、滚筒装置、驱动装置、拉紧装置、给料装置、卸料装置、清扫装置、防止胶带轮跑偏装置。

15. 简述防止皮带跑偏的装置有哪些？

答：（1）胶带输送机采用前倾托辊；

（2）在可逆运转胶带机上采用锥形调心上托辊与锥形调心下托辊；

（3）在下托辊上配置橡胶环；

（4）在胶带机安装防偏开关；

（5）在溜槽中安装调节板，防止落料偏斜，从而避免胶带跑偏；

（6）采用人字形橡胶外套的传动滚筒安装时注意人字方向要与胶带运行方向一致；

（7）采用多种清扫器，加强胶带表面的清扫工作，保持胶带面干净。

16. 什么是煤的相对密度？

答：煤的相对密度是指在20℃时干煤的重量与同体积水的重量之比。

17. 什么是煤的机械强度？

答：煤的机械强度是指块煤的抗碎强度、耐磨强度和抗压强度等物理性能，它是运输、选煤、粉碎和煤加工过程需要掌握的一个指标。

18. 什么是煤的挥发分，并简述其对炼焦产品的影响？

答：挥发分是指挥发物的重量百分数在隔绝空气的条件下，将一定量的煤样在温度900℃下加热7min所得到的气态物质（除去其中的水分）称为煤的挥发分。

一般煤的挥发分高，煤气与化学产品的产率也高，但由于大多数挥发高的煤，其结焦性差，因此多配用高挥发分的煤，会降低焦炭强度并使平均块度变小，所以应综合考虑各种因素，以满足焦炭质量的要求。

19. 试分析造成配煤比不准的原因?

答:(1)配煤成分指标波动超出规定;

(2)配煤槽内煤种混淆;

(3)配煤中出现断流;

(4)跑盘不准确,皮带电子称零位或计数误差大。

20. 在配煤过程中如何确保配煤准确度?

答:(1)经常检查单种煤质量,不合格时应及时处理;

(2)配煤槽必须固定装煤煤种,其装满高度应保持1/2以上,禁止一个煤槽内同时上煤和卸煤;

(3)皮带称的调节器持续保持调节灵敏;

(4)电振机的电流应达到正常工作电流的上限值,以得到较高的工作振幅,保证给料的质量;

(5)随时观察电子秤仪表是否正常,发现问题停止配煤,及时处理。

21. 造成煤质氧化变质的原因。

答:(1)变质程度低的煤在室温下与空气接触超过一定时间就会发生煤的氧化;

(2)含硫化铁较高的煤氧化的可能性更大;

(3)煤堆温度达到60℃可能发生煤的自燃。

22. 造成煤的粒度不能达标的原因是什么?如何处理?

答:原因	处理方法
(1)锤头磨损过大;	(1)更换锤头;
(2)条筛折断;	(2)更换条筛;
(3)衬板与锤子距离过大。	(3)调整距离。

23. 煤的干馏分为哪几个阶段?

答:(1)干燥预热阶段;(2)软化分解阶段;(3)生成胶质体阶段;(4)胶质体固化阶段;(5)半焦收缩形成焦炭

阶段。

24. 皮带运输机压住皮带的原因。如何预防和处理?

答：原因：主要是过负荷超载运行，皮带松而打滑，有时也能压住，发生紧急故障时，皮带机满载停车，这时最容易压住皮带。

预防和处理方法：经常调整给料闸门，使皮带给料均匀，皮带较松时，要适当张紧，接到紧急停车信号后，应马上关闭给料闸门，尽量使皮带上的物料减少，皮带一旦被压住，惟一的处理方法是利用人工将皮带上的煤料卸掉一部分，到皮带能够开动时为止。

25. 简述皮带打滑的原因？如何处理?

答：皮带打滑就是传动滚筒转而皮带不动，造成皮带打滑的主要原因是皮带间的摩擦力不够，皮带张紧程度不够，滚筒上有水等。

滚筒表面太光滑，可增加胶衬等，张力不够，适当调整皮带张力，皮带有水，暂时停车，用锯末或煤粉将水吸干，然后清理干净。

26. 皮带输送机的种类有哪些?

答：固定皮带输送机、高倾角皮带输送机、深槽式皮带输送机、可弯曲皮带输送机、钢丝绳牵引输送机。

27. 煤的工业分析中的水分用什么来表示？各有什么作用?

答：用煤的含水量占煤的重量百分比表示，工业分析中对煤的水分有应用水分和分析水分两种。应用水分是指煤的全部含水量，分析水分是指在实验室条件下风干后的煤的含水量，应用水分是生产中考察含水量的指标，分析水分是煤的变质程度和风化程度的参考指标。

28. 对电气设备的维护保养应注意哪些？

答：(1) 要经常保持电气设备的清洁；

(2) 经常检查各电气设备的发热情况；

(3) 经常注意各电气设备在运行中的声响是否正常；

(4) 经常观察、检查电机转子滑环与电刷接触是否良好，有无磨损。

29. 煤是由哪些元素组成？在配煤生产中应控制哪些指标？

答：煤主要由碳、氢、氧、氮、硫五大元素组成，配煤生产控制的配煤指标主要有水分、灰分、挥发分、全硫分、胶质层厚度、粘结指数等。

30. 什么是人工燃气？人工煤气可分为哪几种？

答：以固体或液体可燃物为原料，经各种热加工制得的可燃气体称为人工燃气。

主要有干馏煤气、气化煤气、油制气等。

实际操作部分

1. 题目：粉碎机异常声响的分析及处理

考核项目及评分标准

序号	考核项目	评分标准	满分	检测点					得分
				1	2	3	4	5	
1	检测并分析原因	按要求对粉碎进行检查，分析原因准确	20						
2	确定处理方案	方案正确，条理清楚	20						
3	处理操作	操作准确，有步骤	20						
4	文明生产	填写记录，清理现场	10						
5	安全生产	掌握安全规定，考核中大事故不合格，小事故扣分	20						
6	工　效	在考核规定时间内完成，超过时间扣分	20						

2. 题目：皮带“重载正常、空载跑偏”的调整处理操作

考核项目及评分标准

序号	考核项目	评分标准	满分	检测点					得分
				1	2	3	4	5	
1	分析原因	准确分析原因，确定处理方案	20						
2	实际操作	严格按照规程进行操作，操作准确，条理清楚	30						
3	文明生产	填写记录，清理现场	10						
4	安全生产	掌握各项安全规定，考核中大事故不合格，小事故扣分	20						
5	工　效	在规定时间内完成，超过时间扣分	20						
6	工　效	在规定时间内完成，超过时间扣分	20						

3. 题目：配煤比更换的操作

考核项目及评分标准

序号	考核项目	评分标准	满分	检测点					得分
				1	2	3	4	5	
1	新旧配煤比	掌握新、旧配比及更换煤种	10						
2	配入量计算	能准确计算配入量	10						
3	单种煤变更	合理使用煤种，做好变更工作	10						
4	实际操作	操作有程序，做到及时准确	20						
5	文明生产	认真填写记录，及时清理现场	10						
6	安全生产	掌握各项安全规定，考核中大事故不合格，小事故扣分	20						

续表

序号	考核项目	评分标准	满分	检测点					得分
				1	2	3	4	5	
7	工　效	在规定时间内完成，超过时间扣分	20						

4. 题目：目测配煤的细度、粉碎细度进行调整的操作

考核项目及评分标准

序号	考核项目	评分标准	满分	检测点					得分
				1	2	3	4	5	
1	配煤细度指标	掌握配煤细度指标及作用	20						
2	目测配煤细度	操作严格按规程要求进行，做到准确无误	30						
3	实际操作	能够较为准确目测粉碎细度	10						
4	文明生产	认真填写记录	10						
5	安全生产	大事故不合格，小事故扣分	20						
6	工　效	在规定时间内完成，超过时间扣分	20						

5. 题目：更换制作皮带清扫器

考核项目及评分标准

序号	考核项目	评分标准	满分	检测点					得分
				1	2	3	4	5	
1	检查清扫器	检查清扫器磨损情况	10						
2	测量制作尺寸	按图纸要求确定尺寸	10						
3	更换前准备工作	工具材料准备齐全，拆除旧的清扫器	10						
4	加工制作清扫器	按要求制作清扫器并安装	20						
5	文明生产	认真填写记录，清理现场	10						
6	安全生产	重大事故不合格，小事故扣分	20						

续表

序号	考核项目	评分标准	满分	检测点 1	2	3	4	5	得分
7	工　效	在规定时间内完成，超过时间扣分	20						

6. 题目：电器设备着火时的紧急处理操作

考核项目及评分标准

序号	考核项目	评分标准	满分	检测点 1	2	3	4	5	得分
1	切断电源	立即切断电源，发出火情警报	10						
2	选择灭火器材	采用绝缘灭火器材	10						
3	实际操作	及时准确使用灭火器材扑灭火源	20						
4	文明生产	检查现场情况，保护现场，待调查分析后，清理现场	20						
5	安全生产	采取安全的保护措施	20						
6	工　效	在规定时间内完成，超过时间扣分	20						

7. 题目：皮带断裂的紧急处理及恢复生产操作

考核项目及评分标准

序号	考核项目	评分标准	满分	检测点 1	2	3	4	5	得分
1	紧急处理	反应迅速，操作准确，及时扑救	15						
2	分析原因	能够清楚地分析操作过程及断裂原因	15						
3	采取恢复生产的方案	及时有效，短时间恢复生产	20						
4	文明生产	做好记录，及时清理现场	10						

续表

序号	考核项目	评分标准	满分	检测点					得分
				1	2	3	4	5	
5	安全生产	大的失误不合格，小失误扣分	20						
6	工　效	在规定时间内完成，超过时间扣分	20						

8. 题目：粉碎机电流偏高的排除操作

考核项目及评分标准

序号	考核项目	评分标准	满分	检测点					得分
				1	2	3	4	5	
1	分析原因	准确判断出故障，分析原因，确定方案	20						
2	排除操作	严格按照方案执行，操作准确，有步骤，有条理	30						
3	文明生产	做好记录，清理现场	10						
4	安全生产	大的失误不合格，小失误扣分	20						
5	工　效	在规定时间内完成，超过时间扣分	20						

9. 题目：皮带拉紧装置调节操作

考核项目及评分标准

序号	考核项目	评分标准	满分	检测点					得分
				1	2	3	4	5	
1	拉紧装置的作用	全面掌握各种拉紧器的作用，正确分析对皮带的操作影响	20						
2	实际操作	步骤有条理，准确无误，严格执行操作规程	30						
3	文明生产	认真做好记录，清理现场	10						
4	安全生产	合理使用安全装置，考核中大事故不合格，小事故扣分	20						

续表

序号	考核项目	评分标准	满分	检测点					得分
				1	2	3	4	5	
5	工　效	在规定时间内完成，超过时间扣分	20						

10. 题目：煤料中夹有危险物品的处理操作

考核项目及评分标准

序号	考核项目	评分标准	满分	检测点					得分
				1	2	3	4	5	
1	煤料质量要求	掌握煤质要求，危险物品对配煤的影响	20						
2	处理操作	操作有序，准确无误	30						
3	文明生产	认真做好记录，妥善处理好危险物品	10						
4	安全生产	合理使用安全装置，考核中大事故不合格，小事故扣分	20						
5	工　效	在规定时间内完成，超过时间扣分	20						

第三章　高级配煤工

理论部分

(一) 是非题 (正确的打“√”，错误的打“×”，答案填在括号内)

1. 我国规定城市燃气的低热值应小于14654kJ/Nm^3。 (×)

2. 城市燃气加臭只适用于有毒燃气。 (×)

3. 煤的高温干馏过程通常是在焦炉中进行，因此也可叫焦化。 (√)

4. 煤是由植物的残骸演变而成的。 (√)

5. 煤中的水分是以内在水分和外在水分两种状态存在。 (√)

6. 煤的水分越高会增加热加工过程中的热量消耗，恶化热加工过程。 (×)

7. 煤的水分越高，对汽化过程有利。 (×)

8. 煤灰是各种金属与非金属的氧化物，以及硫酸盐的混合物。 (√)

9. 煤中的水、灰、挥发物与固定碳重量的总和应等于煤样的重量。 (√)

10. 随着煤的变质程度加深，煤的挥发物组成中的氢气和碳氢化合物含量减少。 (√)

11. 煤是由无机物和有机物两部分组成，有机物是煤的主要组成部分。 (√)

12. 煤干馏所得的焦炭中的硫化物不会降低焦炭质量。 (√)

13. 煤的挥发分、碳含量在一定程度上能反映煤的变质程度。 （×）

14. 提高煤料的堆密度可以提高煤的粘结性。 （√）

15. 结焦过程是煤的有机质大分子进行热分解和热缩聚过程。 （√）

16. 在高温干馏时，如果煤中氧含量愈高，煤气中的水蒸气、二氧化碳和一氧化碳的含量增加，煤气热值增高。

（×）

17. 煤气是混合气体，混合气体爆炸极限取决于氧气的含量。 （√）

18. 干馏煤气是以空气水蒸气作为汽化剂经汽化后所得的煤气。 （√）

19. 水煤气与干馏煤气掺混可作为城市煤气的调峰气源。 （×）

20. 焦炭产量点焦化产品的95%以上。 （×）

21. 燃气中毒事故就是指一氧化碳中毒。 （×）

22. 燃气在使用时是燃气中的可燃成分，不可燃成分与空气的氧气发生氧化还原反应过程。 （√）

23. 燃气燃烧后的产物叫烟气。 （√）

24. 焦炉的生产能力的大小取决于炭化室的尺寸、个数和结焦速度。 （×）

25. 在煤的干馏过程中，不同阶段的煤气的组成及生成量是相同的。 （×）

26. 直立式炭化炉分为连续式和间歇式两种。 （×）

27. 以煤或油为原料生产的各种燃气都含有杂质而天然气不含有杂质。 （√）

28. 人工煤气净化质量要求萘含量夏季为 100mg/Nm^3。 (√)

29. 金属材料由于外力作用产生的形状改变叫变形。 (√)

30. 金属材料在载荷的作用下产生变形而不被破坏，当载荷去除后，其变形保留下来的性能叫弹性。 (√)

31. 焊接电流愈大，电弧放出的热量就愈多。 (√)

32. 电机起动电流大可以使电动机绕组发热。 (×)

33. 电动机是利用电磁感应原理，把电能转换为机械能，输出机械较短的原动机。 (×)

34. 表达零件的装配关系和机器一部件的结构特征的图样是放大图。 (×)

35. 表示机器或部件总长、总宽和尺寸叫安装尺寸。 (√)

36. 炼焦用煤的地位很重要，一般煤的分类方案是以炼焦用煤为主。 (×)

37. 煤分类指标归纳起来是煤的变质程度和粘结性两种。 (×)

38. 我国现行煤分类指标是以煤的挥发分和胶质层厚度进行分类的。 (×)

39. 煤的工业分析又叫煤的实用分析。 (×)

40. 煤的水分和灰分的测定结果是不能了解煤中有机物质的含量。 (√)

41. 煤的无素分析是对煤中碳、氢、氧、氮、硫作定量测定，煤中元素的组成一般用体积百分数表示。 (√)

42. 煤中的硫分主要以硫化物硫形态存在。 (×)

43. 煤的粘结性就是烟煤在干馏的粘结其本身或外惰性

物的能力。(√)

44. 煤的粘结性主要取决于胶质体的数量。(×)

45. 结焦性好的煤，粘结性也好，粘结性好的煤，结焦性不一定好。(√)

46. 粘结性着重于炼成合格焦炭的能力。(√)

47. 常用的炼焦用煤主要是指气煤、肥煤、瘦煤、焦煤。(√)

48. 肥煤是配煤中的主要成分，它是配煤中的基础煤。(×)

49. 焦煤在配煤中的作用主要是增强焦饼收缩，减少块度，增加强度。(×)

50. 在配煤中较“肥”而缺少瘦煤时，可以添加少量瘦化剂，如焦粉。(×)

51. 现代焦炉主要由炭化室、燃烧室、蓄热室、斜道区、炉顶基础和烟道等组成。(×)

52. 现代焦炉中煤料在炭化室宽度方向上的成焦过程是成层结焦。(√)

53. 煤的堆密度增大，其在炼焦过程中，其收缩应力会减少。(√)

54. 焦炭灰分是配合煤的 1.3~1.4 倍。(√)

55. 配煤的结焦性与单种煤的性质无关只与配入比例有关。(×)

56. 现行配煤原则就是以主焦煤为主体，气、肥、焦、瘦按特定比例配煤。(√)

57. 为了提高焦炭的强度，可以采取煤变煤的炼焦速度等方法。(×)

58. 煤的粘结性最终是用焦炭的耐磨强度来衡量的。（×）

59. 煤的挥发分是随煤的变质程度的加深而有规律的减少。（√）

60. 在对弱粘结性煤进行粉碎时，因为其硬度较大，所以要进行细粉碎。（√）

61. 提高配合煤的粘结性，就可以增加煤气产率。（√）

62. 炼焦制气生产过程主要包括煤的准备、炼焦制气、煤气净化三大部分。（×）

63. 各单种煤的性质和各单种煤的配煤比决定以后，配煤质量就决定了。（×）

64. 气煤和肥煤不能单独作为直立炉的入炉煤。（√）

65. 圆形配煤槽，煤的挡料及偏析现象比方形的要多。（×）

66. 实际配煤量与规定配煤量之差应小于配煤皮带上该煤配入量的±5%。（√）

67. 配煤盘的生产能力与加减筒有关，与圆盘的直径无关。（√）

68. 电磁振动给料机是利用电磁铁与弹性元件作为振动源。（√）

69. 使用电子称配煤，配煤的误差波动范围可达到0.5%。（×）

70. 配煤盘的自动配煤系统是通过控制刮刀角度来调节下料量的。（×）

71. 反击式粉碎的细度就一定物料而言，主要取决于转子的线速度和锤头离反击板的距离。（√）

72. 锤式粉碎机对物料的粉碎主要是靠挤压来完成的。 (√)

73. 当生产能力一定时，煤中水分增加会使粉碎细度增加。 (√)

74. 锤式粉碎机锤头磨损一般三个月更换一次锤头。 (√)

75. 推焦杆头接触焦饼表面开始进行操焦槽的时间是推焦时间。 (√)

76. 煤料在炭化室的停留时间就是结焦时间。 (√)

77. 煤塔贮煤量应小于其容积的2/3。 (×)

78. 配合煤细度与锤头距箅子的距离有关，且与箅条的磨损程度有关。 (×)

79. 各煤车间的主要污染是煤尘污染，其煤尘的允许浓度为15mg/m³。 (×)

80. 煤尘在室内含量达到一定程度时会产生引燃爆炸。 (×)

81. 配合经过粉碎的煤，其配煤准确度会有很大提高。 (×)

82. 炼焦煤贮存是有期限的，变质程度大的煤要比变质程度小的煤贮存时间要短。 (√)

83. 国家标准规定炼焦制气厂的装炉煤的胶质层度＞13mm。 (×)

84. 磨损的锤头，经过补焊后可重新使用，各锤头重量差不得大于±25g。 (×)

85. 皮带运输机在运送物料时负荷过大容易造成电机温升过高。 (√)

86. 皮带跑偏的方向左右不定是由于皮带过紧。 (×)

87. 皮带运输机其皮带的作用是：它既是牵引件又是承载件。（×）

88. 在备煤系统中移动设备的走行机构不参加联锁。（√）

89. 设备检修前岗位人员切断电源，检修人员挂上安全牌。（×）

90. 粉碎机开车前应开启除尘设备，再启动粉碎机，空载运行正常后，方可通知上煤。（×）

91. 评价配煤操作的好坏主要是对配煤前后灰分的检查。（√）

92. 当某配煤给料机出现断流时应用其他煤代替。（√）

93. 直立炉干馏制气生产过程中，其备煤工艺可采用不设粉碎工序。（×）

94. 不同种类的煤在同一粉碎机进行粉碎其粉碎细度不一定相同。（√）

95. 配煤槽总的容量是焦炉生产 8～10h 的用量。（√）

96. 煤氧化后，煤的胶质体流动性降低，胶质层厚度增加。（√）

97. 灰分是冶金焦的化学特性指标。（×）

98. 焦炭的水分高会降低焦炭的发热量。（×）

99. 蓄热室的作用是使煤气和空气进行混合预热。（×）

100. 在煤的贮存时，煤堆间应保持 2～3m 的间距。（√）

101. 对生产煤气为主，副产焦炭仅作为动燃料用时，应多用高挥发的气煤。（×）

102. 煤内水分增加时，由于水蒸气与焦炭发生水煤气反应将导致焦炭的灰分增加。（×）

103. 皮带超载不动时，立即停车可以扒去皮带上一半煤后再启动。（×）

104. 制动器的作用是使机构运动的速度降低直至停止或控制在某一范围内。（√）

105. 驱动装置采用三角皮带传动设置防护罩，其作用是防雨。（×）

106. 电动机带负载运转时，电动机不出力是由于定子和转子相互摩擦的原因引起的。（×）

107. 任何比例的煤气——空气混合气都会发生引燃爆炸。（×）

108. 华白指数和燃烧势是决定燃气互换的特性指标。（×）

109. 高温干馏是指煤在 900～1050℃ 的温度进行的干馏。（√）

110. 降低配合煤灰分的有效途径是降低洗精煤的灰分。（√）

111. 配合煤细度过高，会导致炼焦冒烟冒火，但是对焦油的质量有好处。（×）

112. 焦炭灰分的高低将影响炼铁过程中生产的产量。（√）

113. 在设计煤场时每种煤的主煤堆数应不小于两堆。（√）

114. 皮带的连接方法主要有机械连接和硫化胶接两种。（√）

115. 在粉碎机设置电磁分离器是防止粉碎机进铁损坏粉碎机。（√）

116. 各煤车间的集中控制系统是为了便于开启皮带。（×）

117. 当空气中 CO 含量大于 1%时，人吸入后会极快中毒死亡。（√）

118. 在炼焦用煤中结焦性能最好的煤是肥煤。（×）

119. 皮带的输送能力只与皮带宽度有关与速度无关。（×）

（二）选择题（把正确的答案序号填每题横线上）

1. 城市燃气标准中规定人工燃气中硫化氢的含量应小于__B__。

A. $10mg/m^3$　　B. $20mg/m^3$

C. $30mg/m^3$　　D. $50mg/m^3$

2. 城市燃气标准中规定人工燃气中含一氧化碳量应小于__A__。

A. 10%　B. 20%　C. 30%　D. 50%

3. 决定燃气互换性的是燃气的燃烧特性指标，它们是__A__。

A. 华白指数和燃烧势　　B. 华白指数和热值

C. 燃气的高发热　　D. 燃烧势和热值

4. 发生炉煤气和水煤气不宜单独作为城市燃气的原因是__C__。

A. 热值较低　　B. 不具备互换性

C. CO 含量高、毒性大　　D. 煤气中含水量高

5. 当要求在两轴相距较远，工作环境恶劣的情况下传递较大功率宜选用__B__。

A. 带传动　B. 链传动　C. 齿轮传动

6. 各煤车间平皮带传动中，两带轮回转方向相同时应

采用__B__。

A. 开口传动　　B. 半交叉传动　　C. 交叉传动

7. 我国城市燃气的低热值不应低于__C__。

A. 4396kJ/Nm^3　　B. 14654kJ/Nm^3

C. 5024kJ/Nm^3　　D. 16747kJ/Nm^3

8. 直流电的大小方向__A__。

A. 不随时间变化

B. 随时间变化

C. 大小随时间变化，方向不变

D. 方向随时间变化，大小不变

9. 变质程度比肥煤稍高，热稳定性好胶质体数量高，粘结性仅次于肥煤，结焦性好，挥发分适宜，这种煤是__D__。

A. 气煤　　B. 瘦煤

C. 1/2 中粘煤　　D. 焦煤

10. 现代焦炉结构中，煤进行高温干馏的场所是指__A__。

A. 炭化室　B. 燃烧室　C. 蓄热室

11. 在焦炉炼焦制气过程中产生的荒煤气，其主要成分是__C__。

A. 一氧化碳和氮气　　B. 氢气和甲烷

C. 丁烷和丁烯　　D. 氮气和氧气

12. 焦炉炼焦生产过程将焦饼由炭化室推出是由哪几台设备完成的__C__。

A. 推焦车、熄焦车、装煤车

B. 装煤车、推焦车、拦焦车

C. 推焦车、拦焦车、熄焦车

D. 熄焦车、拦焦车、装煤车

13. 在煤的工业分析各项数据中，生产常用到基准煤的灰分采用的基准是____C____。

A. 分析基　　　　　　　B. 绝对干燥基

C. 可燃基　　　　　　　D. 应用基

14. 煤气中的可燃成分是____D____。

A. H_2、CH_4、N_2、CO_2　　B. N_2、H_2O、O_2

C. H_2、CH_4、CO、O_2　　D. H_2、CH_4、CmHn、CO

15. 煤的灰分包括内在灰分和外在灰分，而内在灰分是由____D____组成。

A. 原生矿物质　　　　　B. 次生矿物质

C. 外来矿物质　　　　　D. 原生矿物质和次生矿物质

16. 煤的水分有外在水分和内在水分之分，但煤失去外在水分时，我们称此时的煤为____B____。

A. 湿煤　　　　　　　　B. 风干煤

C. 绝对干燥煤　　　　　D. 干煤

17. 下列四种变质程度最深的煤应该是____C____。

A. 气煤　　B. 肥煤　　C. 焦煤　　D. 瘦煤

18. 成煤过程是一个由低级到高级的发展过程，成煤过程是____C____。

A. 植物→褐煤→泥炭→烟煤→无烟煤

B. 植物→泥炭→烟煤→无烟煤→褐煤

C. 植物→泥炭→褐煤→烟煤→无烟煤

D. 植物→泥炭→无烟煤→烟煤→褐煤

19. 煤的挥发分高低与煤的变质程度有关，它____A____。

A. 不是煤中固有物质是热分解的产物

B. 是煤中固有的物质

C. 是煤中物质之间发生化学反应生成的物质

D. 是气化过程的产物

20. 碳是煤中最重要的元素，其含量的高低与变质程度有关，下列煤中碳含量最高的是__C__。

A. 泥炭　B. 烟煤　C. 无烟煤　D. 褐煤

21. 煤在一定条件下与二氧化碳、水蒸气或氧气的相互作用的反应能力被称为__D__。

A. 煤的热稳定性　B. 煤的结焦性

C. 煤的粘结性　D. 煤的反应性

22. 固定碳是残留在焦炭中的可燃部分，其计算方法是__C__。

A. 固定碳 = 100 + 灰分 + 水分 − 挥发分%

B. 固定碳 = 100 + 灰分 − (水分 + 挥发分)%

C. 固定碳 = 100 − (灰分 + 水分 + 挥发分)%

D. 固定碳 = 100 − (水分 + 挥发分)%

23. 烟煤热解过程中经历了 6 个阶段，半焦收缩阶段的温度是指__C__。

A. 350～450℃　B. 450～550℃

C. 550～650℃　D. 650～900℃

24. 同一种煤的不同显微组分而言，挥发分产率最高的是__B__。

A. 稳定组　B. 镜煤组

C. 丝炭组　D. 半镜质组

25. 同一种煤的不同显微组分而言，干馏产物焦炭产率最高的是__A__。

A. 稳定组　B. 镜质组

C. 半镜质组　D. 丝炭组

26. 装炉煤水分和结焦时间有关，一般认为水分升高1%，结焦时间要延长__A__。

A. 10min　B. 20min　C. 30min　D. 60min

27. 采用配合煤炼焦的方法可以充分利用各种煤的__C__。

A. 物理性质　B. 煤的反应性

C. 结焦特性　D. 粘结性

28. 为了保证炼焦操作过程不引起推焦困难，在配煤时应考虑控制__D__。

A. 装炉煤的灰分　B. 粘结性

C. 煤的细度　D. 膨胀压力

29. 确定配煤方案时，应遵循以__A__为基础煤。

A. 焦煤　B. 肥煤、肥气煤

C. 1/2 中粘煤　D. 气煤

30. 合理选择确定备煤工艺流程非常重要，因此确定备煤工艺流程中应按照__C__来确定工艺流。

A. 采用煤种的多少　B. 煤的接受和贮存

C. 不同的粉碎加工方式　D. 煤的干燥处理方式

31. 煤的干燥技术可以提高焦炭强度，它是通过__C__来达到这一目的。

A. 改变煤料的粒度组成　B. 减小煤料堆密度

C. 改变炼焦的升温速度　D. 增加煤的反应性

32. 煤气的燃烧过程是__B__。

A. 物理过程　B. 化学作用　C. 物理和化学过程

33. 炼焦制气厂的煤均应有足够的容量，确保炼焦炉连续稳定生产，一般应具备__D__的贮备量。

A. 3 天　B. 3~5 天

C. 10～15天　　D. 15～30天

34. 煤的存放时间有严格要求，气煤在夏季的存放时间一般在__C__。

A. 50天　B. 70天　C. 90天　D. 100天

35. 卸煤机械有许多，但是根据生产规模的大小合理选择机械有利于提高工作效率，一般大型焦化厂宜采用__D__为卸车机械。

A. 螺旋卸车机　　B. 翻车机

C. 链斗卸车机　　D. 装卸桥

36. 在配煤过程中造成实际配煤量与理论配煤量有较大差异的主要原因是__A__。

A. 单种煤没有按照规定配比配入

B. 单种煤的水分不同

C. 煤的工业分析不准

D. 煤料粒度太小

37. 在配煤生产中规定每隔一定时间检查一次配煤量，一般要求实际配煤量与规定配煤量之差应小于配煤皮带上该煤配入量的__C__。

A. 2%　　B. 4%　　C. 5%　　D. 7%

38. 煤中的硫是有害物质，在配煤中应严格控制其值应在__B__。

A. >1.2%　　B. <1%　　C. <0.5%　　D. >1%

39. 配合煤水分指标的控制，对焦炉操作有很大影响，当水分超过10%时，则会造成__B__。

A. 加剧焦炉的冒烟冒火　B. 炼焦耗热量增大

C. 炭化室积炭加快　　D. 增加煤料膨胀压力

40. 进行配合煤炼焦的原理是充分利用__D__。

A. 煤的汽化特性　　　　B. 各种煤碳氧含量的不同

C. 煤的燃烧特性　　　　D. 不同煤种的特性

41. 各煤工艺中选择性粉碎是__C__。

A. 对各种煤进行粉碎且达到细度相同

B. 个别煤种不粉碎

C. 对各单种煤根据煤的性质分别控制

D. 各种煤混合粉碎

42. 电子称自动配煤装置可使配煤误差缩小，其范围可缩小到__C__。

A. 5%　　B. 2%　　C. 1%　　D. 0.5%

43. 电子皮带秤是以控制__A__为对象的。

A. 瞬时输送量　　　　B. 压力

C. 速度　　　　D. 振动频率

44. 配煤中增加焦煤和瘦煤其影响是__A__。

A. 焦炭的收缩裂纹减少，块度增大

B. 焦炭的收缩裂纹加大，块度增大

C. 焦炭的收缩裂纹减小，块度减小

D. 焦炭的收缩裂纹加大，块度减小

45. 在炼焦过程中，提高干馏温度时，煤气的产率和煤气中的__B__增多。

A. CO　　B. H_2　　C. CH_4　　D. O_2

46. 装炉煤的水分低于 7% 时，对焦化产品的影响是__D__。

A. 煤气热值低　　　　B. 焦油质量提高，煤气增加

C. 焦油质量降低　　　　D. 对焦油质量没有影响

47. 配合煤的内在质量指标包括__B__。

A. 水分、挥发分　　　　B. 挥发分、细度

C. 细度、抗碎强度　　　D. 灰分、硫分

48. 煤样在隔绝空气的条件下在__D__温度下加热 7min 以气态形成逸出的物质就是挥发分。

A. 800±10℃　　　B. 700±20℃

C. 600±10℃　　　D. 900±10℃

49. 为确保配合煤的质量，在配煤过程中，需要对挥发分进行控制，挥发分指标前后对照不应超过__C__。

A. ±0.7%　B. ±2%　C. ±1%　D. ±5%

50. 配合煤的灰分将直接影响焦炭的灰分，配煤过程中灰分指标前后对照不应超过__C__。

A. ±5%　B. ±0.2%　C. ±1%　D. ±2%

51. 在胶接皮带时，采用冷粘方法，氯丁胶剂和固化剂，以 5:1 配制，接头固化__A__就可交付使用。

A. 8h　B. 6h　C. 4h　D. 2h

52. 固定式皮带运输机，在用作倾斜输送时，其倾角最大不能超过__A__。

A. 18°　B. 25°　C. 30°　D. 45°

53. 调心托辊用于调整皮带，使其保持正常运行，一般每隔__A__上托辊设置一组。

A. 5 组　B. 8 组　C. 10 组　D. 15 组

54. 皮带运输机空载正常加上负荷就跑偏是由于__D__造成的。

A. 落料点不正　　　B. 滚筒粘煤

C. 皮带张力过大　　　D. 皮带张力过下

55. 在使用较大功率的电机为防止电机烧坏应该设置__D__。

A. 逆止器　　　B. 除铁器

C. 减振器　　　　　　　　D. 过流保护装置

56. 在配煤中掺入焦粉的作用是__C__。

A. 降低灰分

B. 增大收缩，减少块度

C. 减缓半焦收缩，提高焦炭块度

D. 增加粘结性

57. 在焦炉煤气中可燃成分占__D__。

A. 60%　　B. 75%　　C. 80%　　D. 90%

58. 配型煤进行炼焦是从__B__方面进行改进的。

A. 改变煤中的粒度组成　　B. 增加煤料的堆密度

C. 掺入添加物　　　　　　D. 改变炼焦速度

59. 在使用锤式粉碎机时，造成细度不足的主要原因是__B__。

A. 锤头动能小　　　　　　B. 筛条间隙太小

C. 锤头磨损或条筛损坏　　D. 煤料粒度小

60. 减速机加油周期为__C__。

A. 1个月　　B. 3个月　　C. 6个月　　D. 9个月

61. 当煤给料不均匀或条筛堵将会造成粉碎机__A__。

A. 轴承温度高　　　　　　B. 加大振动

C. 掉闸　　　　　　　　　D. 生产率降低

62. 煤的发热量是指单位重量的煤__C__所产生的热量。

A. 完全气化　　　　　　　B. 干馏后

C. 完全燃烧　　　　　　　D. 部分燃烧

63. 当提高干馏温度，煤气的热值如何变化__A__。

A. 煤气热值增高

B. 煤气热值降低

C. 煤气的热值不变

64. 电磁振动给料机空载正常，负荷时振幅减小是由于___B___造成的。

A. 料槽受煤料压力过大　　B. 弹性元件磨损

C. 振动器发热　　D. 煤料粒度

65. 在使用电磁振动给料机进行配煤时，配煤的准确性与安装倾角有关，还与___A___有关。

A. 煤料的粒度

B. 煤在槽体的料层厚度和煤的水分

C. 振动频率的高低

D. 闸板的开度

66. 煤中水分对粉碎细度有影响，不同粉碎机其影响程度不同，受水分影响较大是___D___。

A. 反击式粉碎机　　B. 锤式粉碎　　C. 笼形粉碎机

67. 皮带拉紧装置的采用方式有许多种，对机长较短、功率较小的运输机宜采用___C___。

A. 螺旋拉紧装置

B. 车式拉紧器

C. 垂直式拉紧器

68. 煤的相对密度是指___D___的重量与相同温度同体积水的重量之比。

A. 25℃时的煤　　B. 20℃时干煤

C. 25℃的干煤　　D. 20℃时煤

69. 各煤车间主要污染是煤尘按标准备煤车间煤尘的允许浓度为___B___。

A. 10mg/m^3　　B. 15mg/m^3

C. 20mg/m^3　　D. 25mg/m^3

70. 装炉煤的灰分高低对煤气产率、焦炭质量，还对__

B__有影响。

A. 化产品质量　　B. 耗热量

C. 焦炉炉体　　D. 煤气质量

71. 在实际生产中为了使配煤操作稳定应避免__A__。

A. 频繁更换煤种　　B. 使用两种以上的煤

C. 使用低灰分煤　　D. 采用自动配煤

72. 以固体或液体可燃物为原料经过各种热加工得到的可燃气体被称为__D__。

A. 天然气　　B. 沼气

C. 煤层气　　D. 人工煤气

73. 金属滚筒表面外皮厚度磨损超过__C__应予以更换。

A. 20%　　B. 30%　　C. 40%　　D. 60%

74. 电机在运转时发现有异常响声时应采取__D__的措施。

A. 通知电工　　B. 减小负荷

C. 用力击打　　D. 立即停车

75. 煤气和空气在进入燃烧室前均匀混合，然后再着火燃烧，这样的燃烧过程叫__B__。

A. 扩散燃烧

B. 动力燃烧

C. 扩散——动力燃烧

76. 在工厂内的照明电路与动力电路设置时应__A__。

A. 分开　　B. 不分开　　C. 可分可不分

77. 当粉碎细度过高时，会造成粉碎动力消耗增加，还会造成__B__。

A. 电机振动加大　　B. 轴承温度升高

C. 设备生产能力降低　　D. 电流下降

78. 当配合煤的胶质层厚度较低时，明显影响焦炭的耐磨强度，当胶质层厚度太高时，其焦炭强度__B__。

A. 增加　B. 下降　C. 没有影响

79. 影响焦炭质量的内因是__C__。

A. 炼焦速度　　B. 结焦时间

C. 煤料的性质　　D. 煤的热稳定性

80. 影响焦炭质量的外因是__AD__。

A. 备煤和炼焦工艺条件　　B. 煤料的性质

C. 煤的结焦性　　D. 煤的堆密度

81. 当煤料收缩性很大时，可加入__C__等瘦化剂提高焦炭块度。

A. 沥青　　B. 焦油

C. 无烟煤、焦粉　　D. 淀粉、纸浆

82. 煤堆温度达到__D__℃，可能发生煤的自燃。

A. 50　B. 60　C. 90　D. 100

83. 城市燃气中其热值最高的燃气是__D__。

A. 天然气　　B. 焦煤煤气

C. 油制气　　D. 液化石油气

84. 连续式直立炉生产煤气时要求煤料__B__。

A. 灰熔点低，挥发分高　　B. 灰熔点高，挥发分高

C. 灰熔点低，挥发分低　　D. 灰熔点高，挥发分低

85. 煤最基本的分析项目是__C__。

A. 煤的密度　　B. 煤的胶质层厚度

C. 元素分析和工业分析　　D. 煤的粘结性

86. 提高煤的堆比重或采用捣固方法可使煤料__A__提高。

A. 结焦性　　B. 粘结性

C. 反应性　　　　　　D. 稳定性

87. 煤的粘结性和好坏取决生成胶质体的__B__。

A. 数量　B. 质量　C. 温度　D. 数量和性质

88. 皮带输送机采用适当清扫设备，可以清除粘附在皮带上的煤料同时也可以__A__。

A. 延长皮带使用寿命

B. 降低摩擦

C. 加大皮带张力

89. 破碎机运转中有异常声响原因是__D__。

A. 非破碎物进入　　　　B. 轴承缺油

C. 反击板变形　　　　D. 电流过大

90. 煤能够吸附一些气体和液体，这是因为煤有一定的__A__。

A. 内表面积　　　　B. 强度

C. 粘结性　　　　D. 浸润性

91. 用来评定炼焦过程，遵守规定结焦时间方面的管理水平反应焦炉操作的系数是__C__。

A. K_1　B. K_2　C. K_3

92. 电磁振动给料机，振动器发热的原因是__C__。

A. 断路　　　　B. 单相运行

C. 轴承磨损　　　　D. 负荷减小

93. 配合煤的质量指标中，细度指标应控制在__D__。

A. 小于 3mm 粒度占 75%～80%

B. 小于 3mm 粒度＜75%

C. 小于 3mm 粒度＞95%

D. 小于 3mm 粒度≤75%

94. 煤的机械强度是指__D__。

A. 块煤的抗碎强度

B. 块煤的耐磨强度、抗压强度

C. 块煤的抗压强度

D. 块煤的抗碎强度、耐磨强度、抗压强度

95. 造成粉碎机振动增加的原因是___C___。

A. 转子不平衡　　B. 电流过大

C. 煤料粒度大　　D. 煤料水分大

96. 皮带磨损程度超过其厚度的___D___应更换。

A. 60%～70%　　B. 40%～50%

C. 10%～20%　　D. 20%～30%

97. 筛分设备筛片磨损超过 3～4mm 占___D___更换。

A. 40%　B. 50%　C. 10%　D. 20%

98. 煤中包括碳、氢、氧、氮、硫五大元素，而碳是最重要的元素，碳在煤中含量一般是___A___。

A.＞50%　B.＜50%　C.＞80%　D.＜40%

99. 配合煤的灰分，炼焦后全部残留在焦炭中，如果生产灰分小于 12%的焦炭配合煤灰分不得高于___A___。

A. 9%　B. 10%　C. 12%　D. 11.5%

（三）计算题

1. 已知煤的分析基挥发分为 18%，分析煤样内在水分为 2%，干煤灰分为 8%，试计算煤干基挥发分？可燃基挥发分？

【解】 采用干基 $V^g = V^t \times [100/(100 - W^g)]$

$= 18\% \times [100/(100 - 2)] = 18.4\%$

采用可燃基 $V' = V_1^g \times [100/(100 - A^g)]$

$= 18.4\% \times [100/(100 - 8)] = 20\%$

答：煤干基挥发分为 18.4%；可燃基挥发分为 20%。

2. 已知配煤比为气煤25%，肥煤25%，焦煤35%，瘦煤15%，单种煤的可燃基挥发分为气煤为34.3%，肥煤为32.1%，焦煤20.5%，瘦煤为15.5%。试计算配合煤挥发分?

【解】 $V=\Sigma X_i V_i=26.1\%$

答：配合煤挥发分为26.1%

3. 在配煤生产操作过程中，采用的配煤比为气煤40%，肥煤20%，焦煤30%，瘦煤10%，单种煤的干基灰分气煤为7.96%，肥煤为9.54%，焦煤10.1%，瘦煤9.8%。试计算配合煤灰分指标，若结焦率按75%计，预测焦炭灰分能达到多少?

【解】 $A_d=\Sigma X_i A_i=9.102\%$

$A_R=$配合煤灰分/结焦率$=12.136\%$

答：配合煤灰分指标为9.102%；预测焦炭灰分能达到12.136%。

4. 生产配煤比为气煤35%，肥煤25%，焦煤35%，瘦煤15%，又知单种煤水分为气煤9%，肥煤10%，焦煤8.5%，瘦煤9.5%，皮带运输机每小时可输送干煤为450t，在0.5m皮带上配煤的干煤量为45kg，试计算各单种煤在0.5m皮带上的湿煤量为多少?

【解】

气煤配入量＝(半米皮带上配煤的干煤量×配比)/(100－单种煤水分) kg

＝(35×45)/(100－9)＝17.3kg

肥煤配入量＝(25×45)/(100－10)＝12.5kg

焦煤配入量＝(35×45)/(100－8.5)＝17.2kg

瘦煤配入量＝(5×45)/(100－9.5)＝2.5kg

答：气煤在 0.5m 皮带上的湿煤量为 17.3kg；肥煤在 0.5m 皮带上的湿煤量为 12.5kg；

焦煤在 0.5m 皮带上的湿煤量为 17.2kg；瘦煤在 0.5m 皮带上的湿煤量为 2.5kg。

5. 已知焦炉煤气（干）成分

CO_2、	O_2、	C_nH_m、	CO、	CH_4	H_2、	N_2、	合计
2.7	0.81	2.12	5.2	25.28	59.33	4.56	100

各可燃组分的低发热值（kJ/Nm^3）

H_2、	CH_4、	CO、	C_mH_n、	H_2S、	NH_3
10503	35832	12725	71162	23400	13610

试计算煤气的热值。

【解】 $Q_{低}=(Q_1A_1+Q_2A_2+Q_3A_3+Q_4A_4+\cdots)/100$

$=(59.33\times10503+35832\times25.28+12725\times5.2+71162\times2.12)/100$

$=17460kJ/Nm^3$

答：煤气的热值为 $17460kJ/Nm^3$。

6. 已知配煤集合皮带的生产能力为 300t/h，皮带转速为 72m/min。试计算煤在 0.5m 集合皮带上落下的干煤量为多少？

【解】 $q=(Q\times0.5\times100)/(V\times60)$

$=(300\times0.5\times1000)/(72\times60)$

$=34.72kg$

答：煤在 0.5m 集合皮带上落下的干煤量为 34.72kg。

7. 已知配煤斗槽容量为 350t，共有 7 个配煤斗槽，若气煤配比为 35%，配煤的生产能力为 300t/h，采用两个配煤斗槽控制配入气煤，一个为 20%，一个为 15%，问气煤每小时配入量为多少吨？配煤生产4h，气煤是否会出现断流？

【解】 气煤每小时配入量＝35%×300t/h＝105t/h

1号气煤槽每小时用量为＝20%×300＝60t/h

连续生产4h1号气煤槽消耗量为＝4×60＝240t

答：气煤每小时配入量为60t；连续生产4h，气煤槽消耗量为240t，因此不会出现断流现象。

8. 某焦化制气厂有两座JN43-80型焦炉，每座焦炉42孔，焦炉的周转时间为17h，单个炭化室装干煤为17.9t，焦炉紧张操作系数为1.07。试计算昼夜用干煤量为多少吨？若含水为10%时，湿煤量为多少吨？

【解】 $Q=(nKG\eta\times24)/T$

$=(2\times42\times17.9\times1.07\times24)/17=2280$t/昼夜

$Q_{湿}=2280/0.9=2500$t

答：昼夜用干煤量为2280t/昼夜；若含水为10%时，湿煤量为2500t。

9. 焦炉生产一天耗湿煤量为2500t，若生产1t焦耗煤为1.35t湿煤，问焦炉一天生产多少吨焦炭？若配煤生产能力为300t/h，问配煤时间应为多少小时？

【解】 日产焦炭量＝湿煤量/吨焦耗湿煤量

＝2500/1.35＝1851.85t

配煤时间＝耗湿煤量/配煤能力

＝2500/300＝8.33h

答：焦炉一天生产1851.85t焦炭；若配煤生产能力为300t/h，问配煤时间应为8.33h

10. 已知煤塔容量为2300t，交班煤塔贮量为800t，若配煤生产能力为300t，若配煤连续上煤4h，问是否会造成满气？

【解】 当班上煤量 = 2300 - 800 = 500t

上煤时间 = 当班上煤量/配煤能力

= 500/300 = 1.67h

答：若配煤连续上煤 4h 会造成满气。

（四）简答题

1. 什么是烟煤的粘结性和结焦性？

答：烟煤由于被加热产生热软化、熔融、流动、膨胀和热分解后，粘结固化的性质称为烟煤的粘结性。

在一定的工业加热条件下单种煤或配合煤转变成冶金焦的性能称为烟煤的结焦性。

2. 配煤的基本原则是什么？

答：（1）达到使用部门对焦炭的质量要求；

（2）遵循区域配煤原则，做到合理运输，防止对流和重复运输；

（3）力争就近配煤，在特殊的情况下也能保证生产；

（4）增加炼焦化学产品及炼焦煤气；

（5）力求做到降低装炉煤的成本。

3. 简述炼焦制气厂的配煤质量指标有哪些？应控制在什么范围？

答：挥发分(干基)	26%～32%
灰分(干基)	＜10%（焦炉炼制气焦时＜16%）
硫分(干基)	＜1%
水分	＜10%
胶质层厚度(Y)	＞13mm
焦块最终收缩度(X)	28～33mm
粒度(＜3mm 的含量)	75%～80%

4. 什么是烟煤胶质体？胶质体有哪些性质？

答：烟煤在 350～450℃ 进一步分解，生成气态、液态和固态产物，由于气态产物不能立即析出形成气，液、固三相共存的胶体称为胶质体。

性质：(1) 胶质体具有"温度间隔"；

(2) 胶质体具有流动性；

(3) 胶质体有一定粘度具有不透气性；

(4) 胶质体具有膨胀性。

5. 煤的氧化对煤的性质影响有哪些？

答：因为煤的焦化对煤的性质产生较大影响，从工艺方面讲煤的氧化会使煤的粘结性降低、结焦性变坏，从而降低焦炭温度从化学成分方面来讲会使碳含量减少、氢含量减少、氧含量增加，从而使煤的着火点降低、发热量减少、灰分增加，从物理性质方面讲使煤的硬度、强度减少从而变得易碎。

6. 影响焦炭质量的因素有哪些？

答：(1) 配合煤的成分和性质决定了焦炭中的灰分、硫分和磷分的含量，而且强度和块度在很大程度上也决定于原料煤的性质。

(2) 配合煤粉碎细度和粉碎方式的影响，根据煤料的性质选择合理的粒度，可以改进焦炭质量，粉碎方式的选择加工，可使惰性组分细粉碎，活性组成避免细粉碎，从而提高焦炭强度。

(3) 炼焦的加热制度，影响加热制度的主要因素是加热速度和结焦末期温度。

(4) 炭化室内煤料的堆比重的增加，可提高焦炭机械强度。

7. 什么是配煤炼焦？配煤炼焦的意义是什么？

答：所谓配煤炼焦是把几种牌号不同的单种煤，按一定的比例配合起来炼焦。

（1）节约优质炼焦煤扩大炼焦煤源；

（2）充分利用各单种煤的结焦特性改善焦炭质量；

（3）在保证焦炭质量的前提下，增加炼焦化学产品的产率和炼焦煤气的发量；

（4）充分利用本地资源，因地制宜发展焦化工业。

8. 为了防止煤的氧化应该采取哪些措施？

答：（1）在贮煤场内，不应建筑板壁或墩柱，以免空气在其间流通和残煤在其间存留；

（2）为避免空气在煤堆中流通，煤堆表面应压实；

（3）贮煤场不应留有杂物和残煤，场地要平整、压实；

（4）堆煤时不在一点放煤，以免造成偏析现象，使大块堆在下面形成网道；

（5）经常检查煤堆温度，当煤温高时应将贮煤倒堆降温，并尽快使用。

9. 什么是配煤细度？为什么要对煤进行粉碎？

答：煤料被粉碎后，0～3mm 粒度级的煤的重量占全部煤料重的百分数称为配煤的细度。

配合煤是由各种不同牌号和不同粒度的煤料组成百煤料的细度对焦炭的质量和炼焦炉的操作有着很大的影响，因此炼焦前必须对煤料进行粉碎处理。

10. 影响煤料粉碎细度的因素有哪些？

答：（1）粉碎机类型；（2）粉碎机转子的转速有关；（3）粉碎机的调节方式；（4）设备的磨损情况；（5）配煤水分。

11. 如何进行配煤计算？

答：为了预测配煤的某些性质，我们可根据各单种煤的性质和配煤比，通过可加性进行计算，配合煤的水分、灰分、硫分、挥发分、胶质层厚度可按下式计算：

$$X = (x_1a + x_2b + x_3c + x_4d + \cdots)/100$$

式中　x——配合煤中的某些性质如水分、挥发分、灰分、硫分、胶质层厚度；

x_1、x_2、x_3、x_4——配煤中各单种煤与 x 相应的性质；

a、b、c、d——配煤中各单种煤所占的重量百分比。

12. 如何确定炼焦配煤比？

答：要确定炼焦配煤的配煤比，首先要按照配煤的基本原则，定出炼焦煤和使用幅度范围，制出若干个配煤试验方案，并进行配煤试验，配煤试验包括取样、洗造、破碎、配煤炼焦和检查等工作，确定配煤比的过程是首先将取得的原煤或净煤样，先进行工业分析，如果灰分超过10%的则应缩分取出浮煤用的煤样进行浮选，浮煤测定各单种煤的工业分析 G、b 值和胶质层指数，按此确定出各煤种分类牌号，对于原煤必须洗造，以降低灰分、硫分并做净煤 Y 值。工业分析和中国煤分类必需的其他指标，将各单种煤的水分、灰分、硫分、挥发分和 Y 值等按配煤比进行加和计算适当调整比例，使指定的所有配煤比都能满足配煤的工艺指标，然后按比例混合成不同配合煤，进行小焦炉（或铁箱）试验，炼出的冶金焦通过米库姆转鼓成依尔萨德转鼓试验，经过生产焦炉炉孔成全炉试验下，最后选出最好的一个确定的炼焦配煤的配煤比。

13. 列举出造成皮带跑偏的原因及如何处理？

答：(1) 托辊的轴线与皮带机的中心线不垂直；

（2）传动滚筒与尾部滚筒不平衡；
（3）滚筒表面有煤泥；
（4）皮带接头不正；
（5）给料不正。
处理方法：（1）托辊调正；
（2）调整滚筒，调整螺栓；
（3）停车将煤料清理干净；
（4）重新粘结；
（5）溜槽位置不正，调整溜槽。

14. 造成压住皮带的原因是什么？如何预防和处理方法？

答：原因：

主要是过负荷超载运行，皮带松而打滑。有时也能压住，发生紧急故障时皮带输送机满载停车，这时最容易压住皮带。

预防和处理方法：

经常调整给料闸门，使皮带给料均匀，皮带较松时，要适当张紧，接到紧急停车信号后，应马上关闭给料闸门，尽量使皮带上的物理减少，皮带一旦被压住，惟一的处理方法是利用人工将皮带上的煤料卸掉一部分，到皮带能够开动时为止。

15. 炼焦炉哪几部分组成？炼焦制气对焦炉的要求有哪些？

答：现代炼焦炉主要由炉顶区、炭化室、燃烧室、斜道区、蓄热室、烟道等组成。

要求：（1）能生产优质产品；（2）生产能力大；（3）单位耗热量低，热工效率高；（4）炉体使用寿命长；（5）劳动条件好。

16. 影响焦炉煤气的成分、热值和产量的因素有哪些?

答:影响的因素有原料煤的变质程度、挥发分、水分、硫分、炼焦炉粗煤气的抽出方法、炉顶空间大小和温度、装煤制度和结焦时间等,其中主要的因素是配煤的挥发分、装煤量和操作制度。

17. 什么是爆炸?产生爆炸的条件是什么?

答:可燃物(煤气、煤粉、焦粉、苯类蒸汽等)与空气混合,在较小的空间内着火迅速燃烧在瞬间内放出大量的热量,造成温度和压力急剧增高,火焰传播速度达每秒钟几百米,甚至达几千米,这种现象称为爆炸。

产生爆炸必须具备以下的条件:

(1) 空气和可燃物的混合比例在爆炸限度的范围内;

(2) 爆炸性的气体遇上火源或赤热的物体。

18. 简述各单种煤的结焦特性?(气、肥、焦、瘦)

答:气煤——变质程度低、胶质体数量少,热稳定性差,粘结性差,形成半焦后收缩大,生成焦炭裂纹多,挥发分高,有利于煤气和化工产品收率增加。

肥煤——变质程度比气煤高,胶质体数量多,流动性好,热稳定性高,粘结性好,焦收缩较大,产生许多横裂纹,是配煤基础煤。

焦煤——变质程度比肥煤高,胶质体数量比肥煤少,热稳定性好,半焦收缩比肥煤小,可单独炼焦,焦炭块度好,强度高。

瘦煤——变质程度较高,胶质体数少,粘结性差,半焦收缩小,挥发分低,在配煤中起骨架作用,可增大焦炭块度。

19. 对煤场的基本要求是什么?

答:(1) 为了保证焦炉连续、均衡生产,煤场必须有一定容量；

(2) 机械化程度要高；

(3) 为了均匀化和防止煤的氧化，主煤堆数不得小于两堆，做到先贮存的煤先用，避免时间过长；

(4) 贮煤场的地坪应有适当的坡度和排水沟，煤场附近应设备煤泥沉淀池。

20. 为配煤的准确度，应采取哪些措施？

答：(1) 经常检查单种煤质量，不合格时应及时处理；

(2) 配煤槽必须固定装煤煤种，其装满高度应保持 1/2 以上，禁止一个煤槽同时上煤和卸煤；

(3) 皮带秤的调节器持续保持调节灵敏；

(4) 电振机的电流应达到正常工作的上限值，以得到较高的工作振幅，保证给料的质量；

(5) 随时观察电子秤仪表是否正常，发现问题停止配煤，及时处理。

21. 简述电磁振荡给料工作原理及特点？

答：电磁振动给料机是一种散收物料定量给料设备近几年来连续应用于各焦厂，其原理是利用电磁铁与弹性元件配合作为振动源,使电磁振动给料机的给料槽作高频率的往复运动,槽上的物料以一定的角度抛掷,而且朝一个方向给料。

电磁振动给料机的生产能力取决于振幅改变和振动频率给料槽的安装角度。

电磁振动给料机的优点是结构简单,安装和维护方便,布置紧凑,投资少,耗电量小,便于调节和自动化操作;其缺点是调整要求严格,工作时噪声大,煤料水分大时,卸料不均匀。

22. 什么是煤的干馏？煤的干馏分哪几种？

答：煤隔绝空气加热，放出水分和吸附气体，随后分解产生煤气和焦油等，剩下以碳为主体的焦炭，这种煤热分解的过程称为煤的干馏。

煤的干馏分为低温干馏、中温干馏、高温干馏三种。

23. 炼焦煤料中的灰分对炼焦生产有什么影响?

答：配合煤中的灰分在炼焦过程中全部转入焦炭中，硬度比煤大，不易粉碎，灰分与焦炭物质间有明显的分界面，而且膨胀系数不同，当半焦收缩时，这个界面就会成为裂纹的起点，灰分颗粒愈大，裂纹就愈宽、愈深。因此灰分高会降低焦炭的强度。

当煤中灰分增加，尤其是碳的盐类矿物存在时，由于碳酸盐分解，使煤气中的 CO_2 增加，使煤气质量恶化。

24. 造成皮带损坏的主要原因是什么？如何预防处理?

答：(1) 受到重物冲击或被输送物种中的杂物划破、拉断；

(2) 由于皮带跑偏而造成皮带边缘磨损。

皮带机应在空载的情况下启动，开停车均应按顺序停车后，皮带上不允许留有物料，皮带受力应均匀，给料要避免冲击，要注意物料输送过程中的杂物，应及时处理。发现皮带跑偏应立即调整，并检查跑偏原因及时处理。皮带机上安装皮带跑偏自动调整装置，要搞好设备维护，主要是设备清扫及设备润滑。

25. 备煤车间应注意哪些安全技术?

答：(1) 注意劳动保护，必须遵守操作规程；

(2) 运输机部分应设有防护罩；

(3) 在机械运行中，不能清扫和检修；

(4) 在皮带运转时，不准从上面跨过去或从下面钻过，皮带上面不准放工具，更不准坐人；

(5) 煤尘对人体有害，而且在室内含量达到一定程度时会产生引燃爆炸，因此在煤塔、粉碎机房和粉碎后煤的运输走廊内，不准抽烟，电动机采用防爆型的；

(6) 煤槽深的话一定要设有栏杆。

26. 先配后粉工艺流程有什么优缺点？

答：优点

(1) 在粉碎机中进行了煤的粉碎和混合，因此不必再设混料装置；

(2) 较好地利用配煤槽，而且由于破碎的煤比粉碎的煤较易下料，所以操作容易；

(3) 粉碎工段在配煤工段后，不直接与收煤工段相连，因此可以进行两班作业且在各班内，可使设备的进料量保持均匀；

缺点

(1) 配煤准确度较差；

(2) 由于各单种煤没有单独粉碎，因此配合煤中各组分的粉碎程度不均匀，高挥发分的气煤和弱粘煤大颗粒较多，易破碎的焦煤、肥煤等产生小于0.5mm的煤尘的含量较多；

(3) 在焦炉贮仓和装炉操作中大颗粒偏析现象比较多，使炼出的焦炭局部缺损或粘结不好，影响焦炭质量。

27. 在煤的干馏过程中煤气是如何析出的？

答：在煤气的形成过程中，由于炭化室内成层结焦，而熔，融胶质体透气性很差，使相邻层位生成的煤气不能横向穿过该层胶质体而析出，因此胶质体内侧和煤料开始分解所生成的煤气只能在胶质体上方或内侧流经炉顶空间，这部分气态物称为里行气，约占总气量的20%～25%，出于同一原因，胶质体外侧在形成半焦和焦炭过程中析出的煤气是沿着焦炭的裂缝焦饼与炉墙缝隙流入炉顶空间，这部分煤气称为外行气，约占总气量的75%～80%。

28. 试述配煤质量影响焦炉煤气产率和质量的因素。

答：(1) 挥发分的影响：挥发分有60%～65%进入焦炉煤，35%～40%生成焦油粗苯氨和水蒸气等，煤气产率随煤的挥发分增加而增高，煤气热值随挥发分增加而增加。

(2) 水分的影响：水分增加与焦炭发生水煤气反应降低焦炭产率，在一定限度内增加了煤气量，但水分超过一定限度反而会降低煤气产率。

(3) 灰分的影响：灰分增加尤其是碳酸盐类矿物存在的发生分解，使煤气碳含量增加，煤气质量恶化。

29. 试分析焦煤的结焦特性。

答：焦煤变质程度比肥煤高，大分子倒链稍少，热分解的液态产物比肥煤少，但热稳定性高，胶质体数量较多，粘度大，固化温度较高，因而膨胀压力大，粘结性仅次于肥煤，焦煤的挥发分中等，单焦的收缩量和收缩速度小，所以成焦后耐磨强度高，且块度大，裂纹少，抗碎强度好，因膨胀压力过大，易造成推焦困难，甚至损坏炉墙，加之焦煤贮量不多，故不易多用，更不宜单独炼焦。

30. 试画出电子称自动调节系统原理图。

答：(略)

实际操作部分

1. 题目：根据煤塔贮量及当班焦炉日出炉计划安排配煤生产

考核项目及评分标准

序号	考核项目	评分标准	满分	检测点					得分
				1	2	3	4	5	
1	各煤塔贮量	掌握各煤塔的贮量	10						

续表

序号	考核项目	评分标准	满分	检测点					得分
				1	2	3	4	5	
2	当班出炉计划	掌握当班出炉计划	10						
3	确定当班工作计划	计划合理、可行	10						
4	组织配煤生产	指挥得当，准确无误	20						
5	文明生产	认真填写记录	10						
6	安全生产	掌握各项安全规定，大失误不合格，小失误扣分	20						
7	工　效	在规定时间内完成，超过时间扣分	20						

2. 题目：更换粉碎机锤头的操作

考核项目及评分标准

序号	考核项目	评分标准	满分	检测点					得分
				1	2	3	4	5	
1	判断配煤细度的原因	分析造成细度不足的原因	10						
2	粉碎机锤头的检测、更换操作	进行锤头检测，并认真做好记录，更换时严格按要求进行更换，做好记录不发生失误	30						
3	试车运行	做好试车工作，空载正常方可投入重载运行	10						
4	文明生产	认真填写各项记录，清理现场	10						
5	安全生产	掌握各项安全规定，大事故不合格，小事故扣分	20						
6	工　效	在规定时间内完成，超过时间扣分	20						

3. 题目：起用备用的粉碎机操作

考核项目及评分标准

序号	考核项目	评分标准	满分	检测点					得分
				1	2	3	4	5	
1	认真检查备机	用气机械等部位的检测，准备工作要到位	10						
2	空载试车	空载运行合格后停车	10						
3	实际操作	严格按照操作规程进行开机，做到操作准确无误	30						
4	文明生产	认真填写记录	10						
5	安全生产	大事故不合格，小事故扣分	20						
6	工　效	在规定时间内完成，超过时间扣分	20						

4. 题目：试分析联锁装置的作用，在联锁装置失灵情况下应采用何种措施

考核项目及评分标准

序号	考核项目	评分标准	满分	检测点					得分
				1	2	3	4	5	
1	分析联锁的作用	懂得联锁装置的结构及作用	10						
2	特殊情况下的措施	在联锁失灵情况下分析可采用的补救措施	10						
3	在特殊情况下的操作	严格按照操作规程中特殊操作进行	30						
4	文明生产	认真填写记录	10						
5	安全生产	大事故不合格，小事故扣分	20						
6	工　效	在规定时间内完成，超过时间扣分	20						

5. 题目：自动配煤系统的使用操作

考核项目及评分标准

序号	考核项目	评分标准	满分	检测点					得分
				1	2	3	4	5	
1	自动配煤系统	能够叙述自动配煤系统的工作原理	10						
2	自动配煤控制值的设定	系统设定数据，调整准确	10						
3	自动配煤系统的投入	按要求投入配煤系统，操作步骤准确	20						
4	文明生产	认真做好记录	10						
5	安全生产	掌握各项规定，大事故不合格，小事故扣分	20						
6	工　效	在规定时间内完成，超过时间扣分	20						

6. 题目：皮带断裂后的胶接配合和验收工作

考核项目及评分标准

序号	考核项目	评分标准	满分	检测点					得分
				1	2	3	4	5	
1	能分析皮带断裂原因	能够分析造成皮带断裂的各种原因	10						
2	皮带胶接方法	掌握皮带胶接的方法（两种）	10						
3	做好胶接工作的配合	做好本岗的配合工作	15						
4	验收皮带及调整	进行验收皮带，调整皮带张力	15						
5	文明生产	认真做好记录	10						
6	安全生产	合理使用安全装置，大事故不合格，小事故扣分	20						
7	工　效	在规定时间内完成，超过时间扣分	20						

7. 题目：配煤设备的调节，更换操作

考核项目及评分标准

序号	考核项目	评分标准	满分	检测点					得分
				1	2	3	4	5	
1	准备工作	材料、设备齐全、到位	10						
2	根据工艺要求调整	对工艺要求调节，更换的设备要严格按工艺指标要求进行调节	20						
3	调整测试	要认真按照设备安装要求进行质量检查，试车运行	20						
4	文明生产	认真做好记录	10						
5	安全生产	大事故不合格，小事故扣分	20						
6	工　效	在规定时间内完成，超过时间扣分	20						

8. 题目：送错煤料时的操作处理

考核项目及评分标准

序号	考核项目	评分标准	满分	检测点					得分
				1	2	3	4	5	
1	分析送错煤料的后果	错煤对炼焦配煤的影响	20						
2	煤料的处理	应采取的补投措施，降低损失	20						
3	保证措施	确定相应的保证措施	10						
4	文明生产	填写记录，清理现场	10						
5	安全生产	掌握各项安全措施，考核中大事故不合格，小事故扣分	20						
6	工　效	在规定时间内完成，超过时间扣分	20						

9. 题目：配煤槽更换煤种的操作

考核项目及评分标准

序号	考核项目	评分标准	满分	检测点					得分
				1	2	3	4	5	
1	配煤工艺	了解掌握配煤工艺熟悉工艺指标	10						
2	配煤槽斗槽贮量	掌握单种煤的贮量及更换煤种	10						
3	实际操作	有步骤将煤料放空，清理检查，认真有序，合格了更换新煤种	30						
4	文明生产	认真填写记录，清理现场	10						
5	安全生产	掌握各项安全规定，考核中大事故不合格，小事故扣分	20						
6	工　效	在规定时间内完成，超过时间扣分	20						

责任编辑：姚荣华
胡明安
封面设计：蔡宏生

统一书号：15112·10517
定价：**9.00** 元

中华人民共和国建设部

- 职业技能岗位标准
- 职业技能岗位鉴定规范
- 职业技能岗位鉴定试题库

配煤工

中国建筑工业出版社